NUMERI PRIMI

CARMINE ABATE

LA COLLINA DEL VENTO

MONDADORI

Questo romanzo è frutto dell'immaginazione. Gli eventi di cronaca e i personaggi realmente esistenti o esistiti sono trasfigurati dallo sguardo del narratore. Per il resto, ogni riferimento a persone e fatti reali è da ritenersi puramente casuale.

www.carmineabate.net
www.librimondadori.it - www.numeriprimi.com

La collina del vento
di Carmine Abate

ISBN 978-88-6621-054-2

I edizione Scrittori italiani e stranieri febbraio 2012
I edizione NumeriPrimi° giugno 2013

Anno 2014 - Ristampa 2 3 4 5 6 7

LA COLLINA DEL VENTO

A mio padre,
come promesso.

La verità è un mare di fili d'erba che si piegano al vento; vuol essere sentita come movimento, assorbita come respiro. È una roccia solo per chi non la sente e non la respira; quegli vi sbatterà sanguinosamente la testa.

ELIAS CANETTI

Promesse

Gli spari erano sembrati l'inizio di un fuoco d'artificio in pieno giorno, con un'eco secca e irreale, risucchiata dal mare.

I tre bambini stavano sguazzando nudi assieme alle rane in una sorta di laghetto chiamato vullo, dove confluivano gli ultimi rivoli d'acqua primaverile. Arturo si alzò in piedi di scatto e, il dito sulle labbra, ordinò ai fratelli di tacere, indicando con lo sguardo la collina del Rossarco: «Citti» ribadì a voce bassa, «state citti». Aveva otto anni, uno in meno di Michele e uno in più di Angelo. Ammutolirono entrambi.

Per qualche istante il vento portò dei lamenti scomposti, non si capiva se di cristiani o di animali. Subito dopo si sentirono altri spari che provenivano, come i precedenti, dalla cima della collina. Un cane abbaiò in lontananza. Poi più nulla.

I bambini guardarono in alto, inquieti e preoccupati, domandandosi cosa fosse accaduto. Lassù, tra i ciliegi, c'era la mamma, che stava lavorando da sola.

«Andiamo a vedere» disse Arturo deciso. Angelo si mise a piagnucolare e Michele provò a rincuorarlo: «Non avere paura, sono schioppettate di cacciatori. Andiamo, dài».

Con un salto scavalcarono il bordo di ghiaia del vullo, si vestirono in un lampo e, ancora bagnati, attraversarono il letto della fiumara trapuntato di grosse pietre luccicanti, oleandri in fiore e lucertole stordite dal primo caldo di giugno. Poi salirono di corsa lungo la mulattiera che li avrebbe portati dalla madre.

I tre fratelli conoscevano quei luoghi a menadito. Nei giorni di vacanza si fiondavano sul Rossarco, costruivano capanne nel bosco del Tripepi fitto di lecci, esploravano le grotte a ridosso della Timpalea, un burrone profondo dai labbri gonfi di ginestre spinose e rovi, spaventoso come la bocca spalancata di un demonio. Durante l'estate scorrazzavano lungo il fianco della collina di fronte al mare e spesso sfidavano alla guerra i bambini della Marina, quasi un preludio alla vera guerra che avrebbero combattuto da maggiorenni. Il loro esercito era composto da una dozzina di coetanei, ognuno armato con un arco di oleandro; appena i pirati marinoti provavano a espugnare il Rossarco per ingozzarsi di frutta, venivano respinti da micidiali frecce con punte di chiodi arrugginiti, che a volte colpivano i bersagli facendoli urlare e sanguinare. Il generale era Michele, ma a dirigere le operazioni più pericolose e a buttarsi nella mischia mandava Arturo, che non aveva paura di niente e di nessuno.

Anche stavolta Arturo precedeva i fratelli.

A pochi passi dalla cima incontrarono la madre. Scendeva tirando impaziente il mulo per la cavezza. «Via via, stavo venendo a pigliarvi, torniamo a casa» disse senza fermarsi.

«Che è successo, ohi ma'?» le chiese Michele. La madre si sforzò di sorridere: «Niente, non è successo niente. Ho raccolto le ultime due sporte di ciliegie; a casa tengo da fare, torniamo».

Michele e Angelo montarono sul mulo, finalmente tranquilli. Arturo, con l'incoscienza del bambino curioso, corse sino in cima e vide una scena che non avrebbe mai scordato: tra il bosco di lecci e i ciliegi erano riversi due giovani sull'erba rossa, entrambi immobili, avvolti da nuvolette di mosche che ronzavano attorno a loro e si tuffavano nelle pozze di sangue ancora fresco. Di uno impressionava un occhio aperto, grigio e arrabbiato, e più giù, all'angolo della bocca, un rivolo di sangue gli scendeva lungo il mento e si perdeva nel colletto della camicia.

«Vieni via!» La madre era tornata indietro e strattonava il bambino con forza. «Via da qui, ubbidisci!» E Arturo la seguì docile come un capretto, l'occhio grigio e arrabbiato dello sconosciuto che non si stancava di fissarlo.

Arrivati a casa, la madre scaricò le sporte di ciliegie, mandò i figli a chiudere il mulo nella stalla e preparò da mangiare.

La sera suo marito Alberto tornò dalla miniera di zolfo, dove lavorava da molti anni; e la moglie, mentre gli lavava la schiena con una pezza insaponata, gli parlò a lungo, sottovoce.

Dopo cena chiamò Arturo in disparte: «Arturì, anch'io sono rimasta a vuccaperta quando ho visto quelli là sull'erba. Tu però mi devi giurare che non ne parlerai con nessuno, nemmanco con i fratelli tuoi, e che ti scordi tutto, non hai visto niente, niente. Altrimenti qualche malacarna può incolpare la nostra famiglia e poi siamo davvero inguaiati».

Il bambino aveva giurato, baciando due volte l'indice e il medio uniti. Ma, per quanto si sforzasse di dimenticarlo, l'occhio grigio e arrabbiato dell'uomo si rifaceva vivo al buio dello stanzone da letto.

Chi erano quei due giovani insanguinati, chi e perché aveva sparato? Risposte non ne trovava, né poteva chiederle alla madre: la promessa è promessa. Si baciava di nuovo le dita unite, come se avesse peccato, e finalmente si addormentava.

Un giorno il padre lo tirò giù dal letto prima dell'alba e gli disse in modo solenne: «Svegliati, Arturì, ché andiamo alla fatica. Mo' sei grande abbastante e forte, pure tu devi darci una mano per progredire».

Il bambino sbadigliò. Progredire? Non capiva, aveva un sonno feroce, non era abituato alle levatacce, e dormì in groppa al mulo per l'intero percorso, appoggiato alla schiena di Michele. Lo svegliarono il vento profumato della collina e la voce del padre, che lo fece smontare dal mulo e gli affidò una zappetta. Il tempo delle guerre per gioco era finito per sempre.

Come i suoi fratelli, Arturo divenne adulto di colpo, all'età di nove anni. Il lavoro in campagna era faticoso ma per fortuna vario, non lo annoiava né lo spaventava. Solo quando passava tra il bosco di Tripepi e i ciliegi sentiva un brivido lungo la schiena e, pure a occhi chiusi, vedeva l'uomo riverso sull'erba che lo fissava arrabbiato, quasi fosse stato lui ad ammazzarlo con una delle sue frecce infallibili. A volte aveva la tentazione di parlarne con i fratelli: forse, se riusciva a liberarsi di quel segreto, pensava, l'occhio grigio del morto non lo avrebbe più inseguito, ma poi la madre per punizione gli avrebbe tirato il collo senza pietà, come faceva ai galletti che arrostiva nei giorni di festa. Perciò Arturo resisteva.

«La promessa è promessa» ripeteva la madre, mentre il padre aveva smesso per sempre di faticare in miniera e concentrava tutte le sue energie sui lavori agricoli, spronando i figli e la moglie ogni mattina: «I nostri paesani partono in massa per la Merica, ché qua fanno la fame con le loro famiglie. Se noi continuiamo così, se non ci spagniamo della fatica, abbiamo la Merica a meno di un'ora e mezza da casa; anzi, la nostra terra è meglio della Merica ché non abbiamo padroni che ci coman dano e ci costringono a sgobbare più dei muli».

Per anni e anni le stesse parole, la stessa tenacia. Fino a quando i figli erano partiti per il servizio militare, uno dopo l'altro, alla vigilia della Grande Guerra.

Mio padre mi ha scrutato negli occhi, come se volesse accertarsi del mio desiderio di ascoltare il seguito della storia: era la storia della nostra famiglia, aveva detto prima di azzittirsi, legata nel bene e nel male alla collina del Rossarco.

Per un po' le cicale hanno esploso il loro controcanto al silenzio, dilatandolo oltremisura. E a un tratto ho sentito una specie di supplica accorata e spiazzante, quasi una richiesta di complicità, che lasciava presagire chissà quali rivelazioni: «Ascoltami, figlio, so che per te non sarà facile mettere il dito nelle nostre piaghe o riassaporare la felicità di allora senza rimpianti, ma devi conoscere la verità prima che io muoia e questa storia nostra muoia con me. E un giorno sarai tu a raccontarla ai figli tuoi. Me lo prometti?».

Non sapevo che dirgli, ero sorpreso: mio padre aveva sempre evitato di parlarmi delle faccende più o meno oscure della nostra famiglia e, di fronte alle mie richieste di chiarimenti, era stato piuttosto reticente e sbrigativo.

«Non spaventarti, finché campo ti potrò dare delle informazioni più precise e forse qualche ferita avrà il tempo di cicatrizzarsi. Del resto mi ricordo meglio ciò che ho vissuto da bambino o da giovanotto. I fatti nuovi li confondo e li dimentico volentieri. Se racconti tutto dopo la mia morte, mi fai un piacere doppio e un giorno capirai perché.»

Eravamo sulla collina del Rossarco. L'indomani, 27 agosto, sarei ripartito per il Trentino, dove insegnavo in una scuola media. Le mie vacanze estive volgevano al termine e io avevo lasciato mia moglie Simona alla spiaggia di Punta Alice per trascorrere la vigilia della partenza con mio padre. Quel giorno gli ho tenuto compagnia quasi in silenzio, ascoltando con ansia la sua verità dei fatti, intercalata da parole rabbiose e sospiri carichi di preoccupazione, come se temesse di non rivedermi più.

«Promesso?»

L'ho fissato senza rispondergli: aveva gli occhi intorbiditi da un grumo di rabbia e inquietudine. Lui, che era stato il maestro di scuola più benvoluto a Spillace, il nostro paese, ora sembrava un bandito solitario, desideroso di radicarsi sul Rossarco come uno dei suoi ulivi secolari, la barba lunga e ispida, il vecchio fucile da caccia a tracolla, da cui non si separava forse neanche a letto, sospettando chissà quale agguato.

«Promesso?» ha urlato spazientito.

Avrei voluto rispondere: "No, pa', non insistere", invece ho annuito in maniera imbarazzata: era da una vita che gli dicevo sempre di sì. A lui è scappato un sorriso di soddisfazione. Poi ha ripreso a raccontare con gusto di suo padre Arturo, il più caparbio e ribelle degli Arcuri, dei primi scavi sulla collina, dei segreti che vi erano seppelliti, dell'amore impetuoso vissuto con la mamma, di cui ancora non si dava pace. Sui due uomini ammazzati fra il bosco di Tripepi e i ciliegi, solo qualche accenno a sprazzi, da perfetto contastorie, tanto per tenere desta la mia attenzione. E più raccontava, più si rasserenava, come se finalmente stesse liberandosi di zavorre insopportabili o trovasse, nelle storie, le motivazioni e la forza per separarsi da Spillace. «Fra meno di un mese, appena ristrutturo la casella, vengo a vivere qua» ha concluso.

Non ho reagito. Erano anni che annunciava questo divorzio bizzarro, però il passo decisivo non lo faceva mai, ed ero convinto che non lo avrebbe fatto neanche stavolta. Per il resto avevo in testa una gran confusione e mille immagini che si alternavano vorticosamente senza lasciarmi il tempo di sceglierne una da cui cominciare per mantenere la promessa.

Mio padre, invece, sapeva leggermi nel pensiero (nel cuore forse no) e, poco prima che lo salutassi per andare a prendere Simona, mi ha suggerito: «Comincia dall'arrivo del forestiero sulla nostra collina. Il resto verrà da sé. Basta seguire la verità della vita».

1

Lo stavano pedinando da giorni, ma lui non se ne accorgeva, continuava a camminare svelto, la testa bassa, lo sguardo corrucciato. Cosa cercava sulla collina? Ogni tanto si fermava, prendeva un taccuino dalla tasca della giacca e scriveva appoggiato al tronco di un ulivo. Poi spostava le lenti sulla punta del naso, alzava gli occhi spioni e forestieri dalla pagina e si faceva ombra con la mano aperta per vedere meglio in lontananza.

La collina aveva la forma allungata e sinuosa di una barca capovolta davanti al mare. Il colore dominante era il rosso porpora dei fiori di sulla. Tutt'intorno, alberi da frutto, cespugli di lentisco, alloro, ginestra, rosmarino e sambuco, una vigna, ulivi secolari e isolotti di fichi d'India sparsi qua e là, e un bosco di lecci che copriva il versante più nascosto come una mezza corona sbilenca.

Più che un'immagine reale doveva sembrargli un paesaggio mediterraneo incorniciato in un quadro di luce abbagliante, se non fosse stato per il profumo che liberava nell'aria. L'uomo lo annusava con voluttà, si capiva che gli piaceva, usciva dalla pelle e dal ventre della collina, gli pizzicava gradevolmente le narici come la fragranza del pane appena sfornato. Sorrise, la prima volta dopo giorni di camminate solitarie. E con quel sorriso sulle labbra si diresse verso il ciglio dirimpetto al mar Jonio.

Attraversò il campo di grano sfiorando con le mani le spighe verdi. Era un gesto da bambino, quasi una carezza, che contrastava con il portamento altero, la ruga profonda sulla fronte, il pizzetto brizzolato da uomo maturo. Non sospettava di essere osservato e fino all'ulivo gigante continuò a non accorgersi di nulla.

Fu a quel punto che il suo sorriso si spense in un baleno. Da un cespuglio di lentisco era comparso un uomo con il fucile spianato che gli intimava di fermarsi: «Stoppatevi, mo' mo'. Se fate un altro passo vi sparo. È da tre giorni che girijàte quattorno. Perché? Non è tempo né di lumache né di funghi».

Il forestiero gli rispose fissando il fucile come se volesse renderlo innocuo: «Non ho soldi con me». Forse pensava di avere di fronte l'ultimo dei briganti che ancora spadroneggiava nelle campagne.

L'altro lo derise con disprezzo, lo sguardo velato dall'ombra di un cappellaccio floscio. Aveva la faccia scura di sole e grigia di barba, i denti ingialliti, un fisico robusto da contadino ben nutrito. «Non sono brigante e nemmanco delinquente. Sono il padrone di questa terra, con un nome rispettato da tutti: Arcuri Alberto. E voi chi siete?» urlò.

«Mi chiamo Paolo Orsi. Sono un archeologo e vengo dal Trentino.»

«E ch'è un *arcologo*?»

«Faccio scavi e con il materiale che trovo ricostruisco la storia di antiche civiltà» rispose calmo il forestiero.

«Cosa cercate quassù?»

«Cerco l'antica cittadina di Krimisa e il suo famoso santuario di Apollo Aleo, entrambi sepolti da millenni in una di queste colline dinanzi a Punta Alice.»

«Ah» fece Alberto con un residuo di diffidenza nella voce. Non aveva capito bene le parole di Paolo Orsi, comunque abbassò il fucile e, cambiando atteggiamento, lo invitò a seguirlo.

Si fermarono davanti alla cosiddetta casella, un ampio locale in pietra adibito a stallaggio, dispensa, riparo dalla pioggia e dormitorio, in particolare nel periodo della mietitura e della vendemmia.

«Entrate» disse Alberto all'ospite aprendo la porta. Lo fece accomodare su uno sgabello di legno e gli offrì da bere del vino da una piccola anfora che chiamò "gancella". Poi gli rivelò: «Vi stanno pedinando le guardie da diversi giorni. Circola la voce che siete una spia degli austriaci».

Paolo Orsi scoppiò in una risata di incredulità.

«Non c'è niente da ridere» aggiunse Alberto. «Se vi trovano ancora in giro senza motivo, vi arrestano di sicuro.»

«Io un motivo ce l'ho, validissimo, non ho nulla da temere. E, proprio poco fa, credo di aver trovato dove scavare: il sito che le mappe antiche chiamano Piloru, sul declivio di questa collina in faccia al promontorio di Punta Alice.» Parlava gridando, e al suo interlocutore dava l'impressione di essere un po' sordo, visto che arrabbiato non sembrava, anzi sorrideva, complice il vino corposo che aveva bevuto.

Paolo Orsi disse che l'archeologia era la sua vita da quarant'anni, i collaboratori lo chiamavano, alle spalle, "cane da tartufo", difficilmente si sbagliava. E poi raccontò le straordinarie scoperte che aveva fatto in Sicilia e in Calabria, partendo da una pietra, da un pugno di terra, da un'intuizione. Si infervorava con l'entusiasmo di un bambino urlando parole sconosciute come fibule, necropoli, pinakes votivi, e nomi di luoghi misteriosi, Hipponion, Medma, Kaulonia, Taureana, Rhegion, Temesa, Terina, Locri Epizeferi, dove aveva scavato in quegli ultimi anni o dove voleva organizzare altre campagne di scavi, concluse, essendo pure soprintendente alle Antichità della Calabria. Non c'era vanteria nella sua voce, ma passione ossessiva.

Un uomo così non aveva di certo una famiglia, pensò Alberto Arcuri, e gli chiese: «Avete figli?».

«No, non sono sposato e mai mi sposerò. Una moglie sarebbe d'impiccio al mio mestiere. I bambini mi piacciono, ma non avrei un minuto di tempo da dedicare a loro. E voi?»

«Tre mascoli: Michele, Arturo e Angelo. Purtroppo tutt'e tre soldati, il figlio grande doveva congedarsi in questi giorni ma me l'hanno bloccato. Il piccolo è partito per il militare da una settimana. Speriamo che mi ritornano sanizzi e salvi come sono partiti. Secondo voi che leggete i giornali, è vero che l'Italia entrerà in guerra a giorni?»

Era la primavera del 1915. Il forestiero si fece serio e rispose con una previsione rassicurante, più che altro una speranza: «Non credo. E se entra sarà una guerra destinata a durare poco, almeno così si dice. I suoi figli torneranno presto». Erano le parole esatte che voleva sentire quel padre preoccupato.

«Che Cristo vi arrubasse le parole dalla bocca» disse Alberto. E raccontò i sacrifici fatti per crescere i figli, per il loro futuro. Fin da giovane aveva lavorato da cottimista nella miniera di zolfo tra Strongoli e San Nicola dell'Alto; anche lui scavava, ma sottoterra, a volte usciva dalla galleria con la schiena rotta, il veleno dentro la panza, i polmoni, il cannarozzo, e andava a lavorare in campagna. Quindici anni così, con una fissazione nella testa: risalire dal buio e dalle puzze della miniera alla luce e al profumo della collina, acquistandola fondo dopo fondo. Le prime due quote, da cinque tomolate ciascuna, le aveva avute in eredità dalle buonanime del padre e di uno zio materno che non aveva figli: erano pietrose e infertili come gli altri terreni ottenuti dai contadini in seguito alla quotizzazione del demanio nel 1892. Le quote del Rossarco, essendo troppo lontane da

Spillace e incolte da secoli, erano state vendute alla famiglia Arcuri da paesani che le avevano abbandonate per emigrare nella Merica al più presto.

Non sapeva nemmanco lui com'era riuscito a impossessarsi del Rossarco. Era stato un misto di fortuna e sacrifici, di culo e crozza, e soprattutto una forza di volontà più dura del terreno pietroso che lui avrebbe domato del tutto grazie all'aiuto dei figli. Anche per questo non vedeva l'ora che tornassero.

«Avete mai trovato qualche oggetto antico, per esempio monete o pezzi di terracotta, mentre zappavate?» chiese Paolo Orsi, riportando il discorso sul motivo della sua perlustrazione.

«Macàri! Sì, forse qualche coccio di gancella, ma niente di prezioso. Conosco la collina palmo a palmo, a parte lo zoccolo di terra nuda attorno al Piloru, che non ci appartiene, e il burrone di Timpalea, roba da capre e non da cristiani.» Fece una pausa per riprendere fiato, si sforzò di sorridere in anticipo. «Se chiedete al mio paese vi dicono invece che abbiamo trovato una poccia di monete d'oro e con la vendita abbiamo preso il Rossarco. Quando una famiglia come la nostra fa progresso, la gente imbidiosa usa la fantasticheria al posto della crozza.»

«Sull'invidia e la cattiveria qui in Calabria, ne so qualcosa pure io... ma ditemi, signor Arcuri, avete conservato quei frammenti di anfore?»

«No, le abbiamo buttate alla fiumara assieme al pietrame!»

«Peccato» commentò Paolo Orsi, e poi gli diede un consiglio che a causa della voce burbera parve un ordine perentorio: «Se vi capitano altri frammenti tra le mani, soprattutto colorati di nero o con qualche decorazione, conservateli. Magari tra cento pezzi ce ne è uno interessante per le nostre ricerche».

«Sì, va bene» disse Alberto con un sorriso furbo sulle labbra. E bevve un lungo sorso di vino a suggellare la promessa.

Quando uscirono dalla casella il sole era tramontato dietro i monti della Sila, i colori superbi della collina parevano ricoperti da un velo di luce soffusa, e il vento odorava di mare.

Prima di accomiatarsi, Paolo Orsi disegnò con lo sguardo un semicerchio che includeva tutta la collina e il paesaggio circostante, fino a Spillace. Fu in quel momento che vide un piccolo uccello bianco che sfrecciava e garriva solitario sulla casella.

«È una rindinella janca» affermò Alberto con sicurezza. «È da due giorni che vola su e giù nel cielo sopra noi. Cerca i suoi compagni, li trova, sta un poco con loro, poi scappa via e non sa dove andare: vola e vola con il beccuccio aperto fino alla sera, mi fa una testa tanta dal gridare e non capisco se è grido di cuntentizza o di dolore, finché sparisce nelle ciaramìde della casella, dove ha il nido.»

«Incredibile! È da quando ero ragazzo in Trentino che mi aggiro sotto cieli di rondini. Eppure non avevo mai visto una rondine albina, e bella come questa.» Poi, sull'onda dell'entusiasmo, pronunciò una frase che Alberto Arcuri avrebbe ripetuto ai familiari come se fosse un suo pensiero; e anche mio padre, molti anni dopo, l'avrebbe condivisa e, amaramente, fatta sua: «Questi luoghi sono ricchi fuori e dentro. Solo chi è capace di amarli sa capirli e apprezzarne la bellezza e i tesori nascosti. Gli altri sono ciechi e ignoranti. O disonesti e malandrini che pensano solo alle loro tasche».

Infine Paolo Orsi scese a passi lunghi e veloci, quasi temesse di arrivare in ritardo a un appuntamento.

Al bivio, oltre la fiumara, c'erano due uomini in uniforme. Lo aspettavano per arrestarlo.

2

Rientrato a casa, Alberto Arcuri raccontò alla moglie Sofia la storia dell'incontro nei dettagli, compreso il volo della rondine albina, e anche nelle sere successive continuò a parlare di Paolo Orsi, quasi fosse un vecchio amico e ne conoscesse le aspirazioni più profonde. La sua voce rimbombava nel silenzio della casa con un'allegria artificiosa.

Sofia ascoltava fissando le fiamme delle candele che parevano anime in pena, trafitte dal fiato inesausto del marito. Parlava solamente lui, parlava per non pensare ai figli in pericolo. Lei, analfabeta, gli sapeva leggere nel cuore. E, a furia di parlarne, l'incontro con il forestiero sperto sarebbe diventato memorabile per tutta la famiglia Arcuri, mio padre incluso.

Degli anni di guerra restò invece un pugno di ricordi luttuosi, tramandati a bassa voce dalla vecchia Sofia, come per paura che si potessero risvegliare i malitempi.

Purtroppo la previsione di Paolo Orsi si rivelò fasulla. La guerra era scoppiata il 24 maggio, poche settimane dopo l'incontro memorabile, e per giunta non finiva mai. Passavano i giorni e i mesi, i fratelli Arcuri non ritornavano. La collina si stava inselvatichendo, Alberto non riusciva a lavorarla al meglio, aveva due braccia sole, diceva, forti per la sua età, ma nella vita avevano sgobbato duro e non potevano più rendere come quelle dei giovani.

Nell'agosto del 1916 morì il figlio più grande, Michele, un bel giovane serio e faticatore, che a Spillace aveva già trovato una zita giusta da sposare al suo ritorno.

L'anno dopo morì Angelo, il figlio più piccolo, timido e taciturno: nella grande fotografia appesa in cucina, che lo ritraeva con gli altri due fratelli in divisa da fante, tradiva in fondo alle pupille torbide la paura del futuro.

«Erano belli, i miei figli» piangeva inconsolabile la madre. «Belli, forti e sanizzi. Li avevo cresciuti col latte del mio petto fino a quattro anni. Sanizzi, erano. Mai una malattia, mai una freva. Spaccavano le noci con i denti janchi janchi come mèndule fresche, avevano bocche da vasare giorno e notte.» Stava in silenzio per qualche minuto, guardava il marito con gli occhi venati di sangue, poi riprendeva urlando sempre più forte: «Non è giusto», graffiandosi la faccia, «non è giusto», strappandosi i lunghi capelli neri, «non è giusto, ohi focu meu!».

La guerra aveva falciato ben diciotto giovani di Spillace e mutilato altri sedici, in un paese che all'epoca contava milleduecentoventisei abitanti, escluse le centinaia di emigrati. Anche le altre madri gridavano: «Non è giusto». Il fuoco della disperazione le distruggeva dentro, niente riusciva a spegnerlo.

A ogni lutto la casa degli Arcuri si riempiva di gente che si stringeva attorno a loro per attutire il dolore collettivo. Il prete del paese provò a consolarli con delle condoglianze acrobatiche: «Siate forti e continuate a pregare. In fondo, nella sfortuna siete stati fortunati. Vi resta un fior di figlio che dovete accogliere come un miracolo di Gesù bambino».

Il terzo figlio, Arturo, tornò circa un mese e mezzo dopo la fine della guerra, nei giorni di Natale del 1918.

Era sopravvissuto il più spavaldo dei tre fratelli, il più spericolato, il paccio di casa, la rìndina janca, quello che odiava i prepotenti e i disonesti, quello a cui il padre aveva raccomandato fino alla nausea di stare attento, figlio, non cacciarti nei guai e non fare l'eroe.

Arturo si sentiva davvero un miracolato. Della guerra non raccontò mai niente, se non che faceva schifo come tutte le guerre, anzi di più, visto l'enorme numero di morti e di feriti, e che lui non aveva capito per chi o per cosa avesse combattuto. La patria? Dov'era la patria quando i suoi fratelli e i suoi compagni erano morti nelle trincee? Non si meritava tutto questo sangue giovane, la patria. Però, a differenza dei genitori che erano piombati in una depressione senza fine, Arturo seppe tenere a bada il suo dolore e trasformarlo in rabbia propulsiva.

Riprese a lavorare sul Rossarco con un'energia triplicata, sembrava che la forza dei fratelli si fosse riversata nei suoi muscoli, e ben presto vi trascinò anche i genitori con la scusa che gli serviva una mano. In realtà non sopportava la solitudine, il silenzio della collina nei rari giorni senza vento, quando l'occhio grigio del morto, perennemente vigile tra i ciliegi e il bosco, lo inseguiva beffardo, mettendogli pagùra più dei tanti compagni massacrati nelle trincee del Lagorai, a un passo da lui.

Poi sparse la voce che si sarebbe sposato alla fine del lutto. «Voglio una muglièra, dei figli e progredire faticando sulla terra nostra; se non ci riesco, giuro che emigro nella Merica Bona» proclamava in piazza perché tutti sapessero. E se qualcuno gli chiedeva come fosse accaduto il miracolo, come avesse resistito nell'inferno delle trincee, Arturo rispondeva senza esitare, ma con un velo d'ironia nello sguardo: «A parte i genitori, ho pensato notte e giorno alla nostra collina. Non potevo morire. Dovevo tornare vivo, dovevo, macàri ferito ma vivo, per sentire ancora il suo profumo».

Dunque, primo obiettivo: la muglièra.

A causa della guerra e dell'emigrazione, al paese le ragazze in età da marito erano almeno il quintuplo dei giovani che cercavano moglie. Perciò Arturo Arcuri se la prese comoda, scartando a priori un frettoloso matrimonio di combinazione, come a quei tempi era in uso.

Ogni domenica andava in chiesa ad ammirare le ragazze. Le passava in rassegna nei minimi dettagli, soprattutto mentre gli scorrevano accanto, prima di prendere l'ostia sacra. Le voci sulle doti più o meno ricche di alcune di loro lo lasciavano indifferente. Concentrava invece l'attenzione sulle più belle e sanizze. Erano una meraviglia: avevano le spalle dritte, il petto ben tornito, gli occhi pieni di scintille, i denti bianchissimi, le labbra da baciare. Il suo paese era famoso nel circondario per la bellezza delle donne. Arturo non aveva che l'imbarazzo della scelta.

«L'hai trovata quella giusta?» gli chiedevano gli amici.

«Io sì. Ma ora lei deve scegliere me, altrimenti non c'è gusto, la stadera pende tutta dalla mia parte. E questo non mi piace proprio.»

«Cioè?»

«Cioè, se manca il desiderio, se tu non le fai sangue come lei fa a te, il matrimonio è come un innesto che non prende, si secca, e la vita diventa stufùsa.»

«Ma che stai contando? E chi sarebbe questa lei?»

«Be', allora non capite una minchia!»

Lei era una qualsiasi delle quattro ragazze rimaste in lizza nella sua personale selezione. Come potevano capire gli altri? Che tipo, Arturo. Agli amici pareva che la guerra gli avesse scardinato il cervello. Certe volte si comportava da forestiero che non conosceva nulla delle usanze del paese.

«Vedrai che nessuna ti degnerà di un sorriso» gli dicevano, «le ragazze del nostro paese non sono teatriste né zoccole!»

Si sbagliavano: ben tre delle prescelte gli sorridevano e gli facevano gli occhi dolci.

Arturo era un bel giovanotto alto e robusto, con lo sguardo vivace e la parlantina simpatica. Alle ragazze piaceva molto. E inoltre, essendo morti i fratelli in guerra, salute a noi, avrebbe ereditato tutto il Rossarco, dunque era un ottimo partito, un gran faticatore, insomma uno da maritare di corsa. Ma con un limite, o un pregio, che lo rendeva imprevedibile: ragionava a modo suo, ragionava all'incontrario. Infatti scelse la ragazza che nessuno si aspettava, quella che non gli dava retta, non uno sguardo ricambiato, non un mezzo sorriso. «Lina...» la chiamava lui, infischiandosene delle altre. Lei faceva finta di non sentire, non si voltava mai.

Quando in chiesa chiudeva gli occhi, forse per pregare, il suo volto si illuminava di una luce estatica. Arturo le fissava le labbra imbronciate che lei apriva e chiudeva lentamente, a tratti mordicchiandole inquieta. A lui sembravano piccoli segni da decifrare come un sì d'incoraggiamento, se non addirittura un sì d'amore. Non fosse stato un sacrilegio scandaloso, l'avrebbe acquietata con un bacio rubato sotto gli occhi di tutti i santi e del paese intero. Ne era capace.

«Arturì, scommettiamo che questa non ti caca proprio?» lo stuzzicavano gli amici, uscendo dalla chiesa.

Lui sorrideva sicuro di sé: «Non c'è bisogno di scommettere: lei mi ha già detto sì».

Da quel momento cominciò un corteggiamento estenuante. Ogni giorno, al ritorno dal Rossarco, mangiava, si lavava, si radeva la sua barbaccia dura e andava a piazzarsi sul muretto di fronte alla casa di Lina. Era impossibile non notarlo.

Gli amici gli rinfacciavano maligni che lui si comportava da galletto sfrontato perché la ragazza era figlia unica, con il padre nella lontana Merica. Arturo ribatteva spavaldo, innamorato: «Per Lina non mi scanterei né davanti a un padre né a tre fratelli mascoli, pronti a scannarmi vivo».

Alla madre di lei quella sfacciataggine non dispiaceva, viste le intenzioni serie del giovane, ormai note a tutto il paese. E aspettava che facesse quei cinque passi dal muretto a casa loro per chiedere la mano della figlia, accompagnato dal padre Alberto.

Lina pareva non accorgersi dell'attenzione mielosa che la circondava, continuava a sbrigare le faccende domestiche senza mai fermarsi; agli sguardi insistenti di lui alzava una barriera di vetro, si lasciava ammirare, indifferente, e a volte osservava di sottecchi. Non era spocchiosa, però, né ciòta, cioè dura come un ciottolo di fiume, stupida. Aveva diciassette anni, dagli altri era ritenuta più che matura per il matrimonio, molte sue coetanee avevano già figli.

«Ch'aspetti a raprìre le braccia a quel bravo giovine seduto sul muretto?» le chiedevano le vicine di casa, sobillate dalla madre.

«Al momento non mi interessa nessuno» rispondeva scocciata. Semplicemente non si sentiva pronta per quel salto in un mondo che l'attraeva e la respingeva a un tempo. Non erano felici le donne maritate, lei lo intuiva, erano piuttosto serve che sorridevano e si sottomettevano ai mariti per dovere. A sua madre si leggeva negli occhi l'insoddisfazione rancorosa, il rimpianto della giovinezza spensierata, e non c'era giorno in cui non malediceva il marito, chiamandolo con disprezzo "chjachjèllu", cioè loffio spregevole, che aveva buttato a mare la fede nuziale per una zoccola mericana e non si era fatto più vivo né con una lettera né con un dollaro bucato.

Arturo non si arrendeva. Ogni sabato notte, ogni vigilia di festa, le dedicava una lunga serenata: per ore, sotto il balcone di Lina, cantava e suonava la chitarra battente, accompagnato da un amico con la fisarmonica e uno con la lira. Era bravo soprattutto a suonare, stringeva al petto il fondo bombato della chitarra con la bramosia di un amante e liberava un arpeggio ritmato dai tocchi percussivi dei polpastrelli sul piano armonico; la sua voce, pur tra qualche stonatura, vibrava di tensione amorosa, lanciava messaggi che planavano sul letto di lei come petali di rose lasciati cadere da una rondine amica, la «rìndina cchi va lu maru maru», mentre il suo bene «è sutta na friscura / cchi sta durmennu / Ohi riturnella / è sutta na friscura / cchi sta durmennu...».

Un giorno d'autunno cominciò a piovere dopo che Arturo si era seduto sul muretto del vicolo. Invano si coprì la testa con la giacca per ripararsi un poco, la pioggia continuava a cadere a scrosci implacabili, gli annebbiava la vista, lo obbligava a stringersi nelle spalle dai brividi, rendeva vana la sua presenza innamorata di fronte alla porta e alle finestre chiuse. Ma lui non si mosse di un centimetro, aspettava che spiovesse, aspettava il miracolo.

Lei aprì la porta, finalmente, si sporse appena per non bagnarsi i lunghi capelli neri e gridò per sovrastare il rumore della pioggia: «Dài, ciòto. Entra ché sennò t'ammali». Il suo sorriso sfavillava, radioso come il sole, tra gli interstizi della pioggia battente. A pensarci bene, valeva più dell'invito, quel sorriso venato di stupore, almeno quanto il primo bacio, valeva. Arturo non li avrebbe mai scordati, il sorriso e il primo bacio.

Dentro casa non c'era nessuno. Fuori continuava a diluviare.

3

Lina e Arturo, i miei nonni, si sposarono il 26 luglio del 1920. La cerimonia in chiesa si svolse in un'atmosfera a tratti malinconica e svagata, mentre la successiva festa a casa della sposa ristagnò in un'allegria contenuta, ma del tutto priva di autentico mordente nuziale. Troppo fresche erano le ferite della guerra, tant'è che dopo la celebrazione del matrimonio i genitori di Arturo non si fermarono a festeggiare con gli sposi, i parenti e gli amici. Avevano fatto il loro dovere spogliandosi del lutto per una mattinata, di più non si poteva pretendere da una madre e un padre che portavano stampata nei visi scavati una sofferenza indicibile.

Nessuno si offese e la gente ebbe parole di conforto e solidarietà nei riguardi degli Arcuri, così segnati dalle disgrazie, così sfortunati nella fortuna. Niente ipocrisia, le parole erano sincere, si è sempre affettuosi con chi soffre le pene dell'inferno, anche se quella stessa gente, prima della guerra, aveva invidiato la famiglia Arcuri, augurandole chissà quali e quante malanove.

Era una domenica torrida. Gli invitati bevevano acqua, vino mescolato con acqua, infine vino schietto, quello corposo del Rossarco. «Fa un caldo bestiale, il vino asciuga i sudori» si giustificavano in coro. Solo più tardi, quando molti furono brilli, i giovani si scatenarono in una tarantella mozzafiato.

Quella notte il compare d'anello e una compagnia allegra di musicisti di talento imbastirono una serenata interminabile perché lo sposo non si degnava di uscire, come era tradizione, con il cesto stracolmo di bottiglie di vino e di liquore, pane e taralli, salciccia, soppressata, capicollo, panzaia, prosciutto, sardella, 'nduja, provola. Cantavano e suonavano tutto il loro repertorio di canzoni napoletane e calabresi, ma lo sposo ancora non si decideva ad aprire la porta, forse si era addormentato, forse si prendeva gioco di loro, forse non udiva le loro voci, e allora strillavano più forte, rischiando di stonare a ogni acuto.

In effetti Arturo non sentiva le canzoni, ma solo i mugolii e le grida di piacere della giovane moglie. Che lo implorava di non smettere di succhiarle i capezzoli e di continuare a muoversi con quei colpi lenti e forti che le facevano male e bene, che le riempivano il corpo di un calore mai provato, un fuoco inatteso, il paradiso in terra.

Lina si era aperta a lui con una fiducia che non poteva andare delusa. Arturo non aveva grande esperienza in amore, lo aveva fatto due volte a pagamento, cinque o sei minuti in tutto, il tempo di vedere com'era una femmina dall'ombelico in giù. Ma di fronte a una moglie desiderosa di lasciarsi amare, che si era spogliata senza imbarazzo e gli aveva offerto i seni e la bocca con gioiosa avidità, l'esperienza era cresciuta di bacio in bacio, bruciando tutte le tappe in poco tempo.

Arturo si stupiva in cuor suo di quanto fosse semplice e bello fare l'amore, mentre lei lo pregava di non fermarsi mai. E lui ubbidiva volentieri, i peli del petto e i capelli bagnati, il corpo che grondava di sudore bollente.

Dopo la prima volta si erano asciugati con fazzoletti di lino, le mani tremanti di desiderio.

E avevano ricominciato.

Verso le quattro del mattino, accolto dai fischi e da qualche applauso di scherno degli amici esausti e affamati, Arturo consegnò finalmente il cesto al compare d'anello.

In cambio ricevette un affettuoso, meritatissimo «ma vaffanculo, compà!».

Il 18 aprile del 1921, il giorno più sfolgorante di quella primavera caldissima, nacque mio padre. Lina era sul Rossarco ad aiutare marito e suocero nei lavori agricoli. Aveva una bella pancia appuntita, ma non enorme, mentre il seno – già abbondante prima della gravidanza – le era cresciuto a dismisura e sembrava pronto per allattare quattro gemelli.

Secondo le più sperte vicine di casa, il parto doveva avvenire ai primi di maggio, perciò Lina andava in campagna quasi ogni giorno, c'era bisogno del suo aiuto e a lei piaceva stare accanto al marito, rendersi utile per il progresso della famiglia. Del resto, a quei tempi, le donne incinte lavoravano fino a poche ore dal parto e di solito si sgravavano in casa, aiutate da una vicina o una parente con esperienza, e nelle situazioni complicate chiamavano una brava mammana che viveva a San Nicola. Una donna con il pancione non era un'ammalata da proteggere sotto una campana di vetro, diceva mio padre, ma una donna che aspettava un bambino. La cosa più naturale del mondo. E Lina non era un'eccezione. Lavorava senza risparmio e, quando esagerava, sentiva i calci poderosi della sua creatura nella pancia. Era un mascolo di sicuro, un ribelle, lo si capiva da come scalciava e si dimenava, non stava mai fermo: non vedeva l'ora di uscire alla luce del sole.

Il marito stava rampando il terreno attorno all'ulivo gigante perché, con quel caldo prematuro, se fosse scoppiato un incendio lo avrebbe divorato in una sola fiammata. Il suocero curava l'orto zappoliando tra le piantine tenere con una precisione da chirurgo. Era silenzioso e cupo, sprofondato nel rimorso senza fine per la morte dei due figli, come se fosse stata colpa sua o non avesse fatto il possibile per salvarli.

Lina, su consiglio del marito, tagliava con un falcetto le piantine foraggere di sulla per i conigli, abbassata e a gambe larghe per non schiacciare troppo la pancia. Non stava tanto bene quel giorno, già dall'alba aveva sentito dei dolorini fastidiosi al basso ventre, e poi quel caldo fuori stagione l'aveva fiaccata più della fatica.

Era quasi al centro di quel sullaio, un mare rosso increspato dal vento, sul versante più luminoso della collina. Con un braccio stringeva un bel fascio di sulla fiorita, con una mano il falcetto, e all'improvviso sentì delle contrazioni dolorose. Erano le doglie.

Lei capì subito, fece appena in tempo a sfilarsi le mutande, chiamò il marito, «Artù, vieni, presto», si abbassò più che poteva, inarcando le gambe quasi a sfiorare il prato, «Artù, corri, sta nascendo!». E il marito fu da lei in una manciata di secondi.

«Vai a prendere l'acqua nella casella e la tua giacca» gli ordinò Lina, che pure in quell'occasione era più lucida di lui. Arturo corse di nuovo verso la casella e intanto chiamò il padre: «Ohi pa', sta nascendo, Albertino nostro sta nascendo!».

Aprì la porta della casella con foga, afferrò la giacca, il barilotto dell'acqua e, siccome ne era rimasta poca, anche la gancella con il vino. Arrivò dalla moglie in un baleno, il padre dietro di lui.

Il bambino era adagiato sopra i fiori vellutati di sulla, rosso vivo sul rosso porpora, le palpebre appiccicate, il cordone ombelicale che ancora lo teneva legato alla madre. Lei sorrideva, esausta per quello sforzo intenso di pochi minuti, e Arturo era smarrito, «ohi Cristo mio, e mo'?», non sapeva cosa fare, guardava il padre con le mani tra i capelli, «e mo', e mo'?».

In quel minuto di sconcerto, lei aveva tagliato il cordone ombelicale con il falcetto, si era sdraiata sopra la sulla e ora teneva il bambino tra i seni grossi e morbidi, accarezzandolo piano con i polpastrelli. Arturo lo coprì con la giacca e poi lavò accuratamente la moglie con la poca acqua a disposizione. Da bere le diede un sorso di vino. «Questo fa latte» le disse per giustificarsi.

Nonno Alberto si avvicinò con cautela al nipotino e gli posò un bacio delicato sui capelli bagnati. «Non voglio che lo chiamate come me. È più giusto il nome dei figli miei buonanime, Michele e Angelo. Così continuano a vivere pure loro. Ci ho pensato assai, se la creatura nasceva mascolo. Lo chiamiamo Michelangelo.» Poi scoppiò in un pianto di gioia, non riusciva a smettere, piangeva senza vergogna, e il figlio, commosso e felice, lo abbracciò come non aveva mai fatto, come non avrebbe fatto mai più, mentre il neonato cominciava a strillare forte, segno che era sanizzo e aveva fame.

Ai genitori piacque subito il nome del figlio, anche se non l'avevano scelto loro. «È un nome famoso, gli porterà fortuna» disse Arturo. Lina sorrise soddisfatta, si sbottonò la camicetta e il bambino trovò il capezzolo a occhi chiusi.

«Che sperto, il nostro Michelangelo!» esclamò il nonno con orgoglio. «Sa già cosa è importante in questo mondo.»

Si era alzato un vento aromatico che trapassava le chiome degli alberi in fiore e piroettava lieve attorno alla famiglia Arcuri. Il bambino apriva e chiudeva le piccole narici, continuando a ciucciare con un ritmo lento, cadenzato. Il nonno se ne accorse e lo fece notare agli altri due: «Guardatelo, naschìja l'aria come un canicello».

«Sì, è vero» disse Arturo soddisfatto. «Ha pigliato da me la nasca fine. E sente già il profumo della collina.»

Profumo

Era un miscuglio di ginestra e sambuco in fiore, di origano e liquirizia, di cisto, menta e malva selvatica, che la brezza marina faceva roteare sulla cima della collina come un'aureola invisibile. «Più invecchio e più ce l'ho nelle narici, questo profumo. Giorno e notte, in ogni stagione. Segno che sto diventando paccio o morirò anch'io ammazzato» mi ha confidato mio padre quando ci siamo rivisti sul Rossarco dopo otto mesi.

Ero tornato da solo per le vacanze pasquali, visto che Simona declinava puntualmente l'invito, dopo aver trascorso a Spillace la Pasqua e la Pasquetta più fredde e piovose della sua vita. «Quella volta è stata un'eccezione» cercavo di convincerla. «Non sai cosa ti perdi. La primavera in Calabria è un paradiso di profumi e colori che in Trentino te li sogni.» Lei sorrideva ironica: «Vai dal tuo papino, vai. E digli che ci vediamo in estate, se Dio vuole».

Per prima cosa mio padre mi ha mostrato la nuova casella. L'aveva ristrutturata alla buona, ricavandone una stanza da letto, più bagno e cucinino con una stufa a legna, e vi si era stabilito alla fine di settembre. Accanto aveva costruito un altro locale, dove teneva le provviste e gli attrezzi da lavoro, e un piccolo forno per il pane. Ciò che gli sarebbe servito della sua vita precedente l'aveva trasportato con la Panda 4x4: due valigie con vestiti e biancheria, uno scatolone di libri, un ritratto di nonno Arturo in bianco e nero, un primo piano della mamma fotografata da giovane a Torino e inoltre la custodia con il vecchio fucile da caccia, un pacco di cartucce e la chitarra battente appartenuta al padre. Insomma, di primo acchito, la sua mi pareva una vita selvatica che non riuscivo a spiegarmi: senza corrente elettrica né televisione, senza lavatrice né frigorifero. Già immaginavo il sarcasmo di Simona: "Che bella fine sta facendo il tuo idolo! Si capisce che è pieno di paure e cerca di nasconderle dietro una maschera da uomo forte e una vita solitaria in mezzo a profumi straordinari che sente solo lui. E tu gli vai dietro come un cagnolino!".

Quando gli ho chiesto il perché di questo isolamento incomprensibile, mio padre mi ha risposto che il Rossarco gli piaceva, anzi lo ammaliava, ecco perché, altri motivi non ce n'erano. E, incalzato dal mio sguardo perplesso, ha aggiunto: «Io non ho paura di niente e di nessuno». Una risposta che pareva rivolta a Simona e che invece di tranquillizzarmi mi inquietava. Lui lo ha capito e ha provato a chiudere la questione per sempre: «Alla mia età ho bisogno di poco, e quel poco me lo procuro quassù».

La sua ostentata sicurezza non mi ha convinto e, senza volerlo, sono stato attratto dalla foto della mamma: era una bella donna, alta e grintosa per i suoi tempi; aveva i capelli castano chiari che con gli anni si erano scuriti, le labbra rosse al naturale e gli occhi di un colore indefinito, un misto di verde, azzurro cupo e pagliuzze di luce. Anche lei amava la collina più del paese.

Dopo la sua morte, per circa tre mesi mio padre si era rinchiuso in un lutto d'altri tempi: non usciva di casa, non parlava con nessuno, si lasciava crescere una barba ispida e minacciosa. Da mattina a sera fissava il fuoco del caminetto fumando una sigaretta dopo l'altra: forse cercava di bruciarvi rancori e rimorsi ancora vivi. La mamma era una torinese indipendente e girovaga, dal fascino accecante, almeno a sentire i commenti di chi l'aveva conosciuta; mio padre, un calabrese inquieto e sognatore che si era allontanato dalla sua terra solo per i rari viaggi in Piemonte, costretto dalla "Torinèsia", come al paese chiamavano la moglie. Un'unica cosa avevano in comune, nel bene e nel male: una caparbietà senza remissione. Non era stato facile il loro rapporto, benché fosse durato una vita.

«Tua madre non c'entra niente con la mia decisione di vivere quassù. L'avevo deciso prima che morisse» ha detto mio padre guardando la foto con la coda dell'occhio. Poi mi ha invitato a sedermi su un ruvido sgabello di leccio, mi ha offerto un bicchiere di vino Cirò e ha ripreso a raccontare la storia della sua nascita.

È stato allora che mi è parso di scorgere un pizzico di logica in quel trasloco: si torna sempre dove si è nati. «Sembra banale ma è così» mi diceva Simona citando Novalis, il suo poeta preferito: «*Wo gehen wir denn hin? / Immer nach Hause*. Dove mai stiamo andando? / Sempre a casa». La casa di mio padre era la collina, e dunque ho pensato che avesse voluto tornarci, sulla soglia degli ottant'anni, per chiudervi il cerchio della propria vita.

Ma forse mi sbagliavo, e pure Simona si sbagliava dall'alto delle sue certezze categoriche. Ero io che non capivo le vere intenzioni di mio padre, mentre lui andava imperterrito per la sua strada. E, anche se non volevo ammetterlo né a Simona né a me stesso, quell'uomo dall'olfatto sopraffino mi teneva ancora in pugno e non riuscivo a liberarmi del suo sguardo magnetico.

Era lo stesso sguardo che aveva sfoggiato fin dalla nascita, e i primi a subirne il fascino erano stati addirittura i nonni paterni. Davanti al nipotino dagli occhioni scintillanti, che non si stancava di fissare con stupore ogni loro movimento, sembravano rinati: gli sorridevano sprigionando finalmente un po' di gioia, ridevano di gusto, gli facevano il solletico, gli baciavano il pancino, gli cantavano ninne-nanne, «ninna-oh, al trisòro che io c'ho». Certo, non erano in grado di ritrovare la felicità di una volta, ma almeno ora ne vedevano la luce, e il piccolo Michelangelo era la loro stella cometa. La conferma di una verità antica quanto il mondo: l'unica cura della morte è una nuova nascita.

4

Ora che la famiglia era rinata e cresciuta, raccontava mio padre, occorreva farla vivere dignitosamente, anche se i tempi erano duri e la povertà imperversava ovunque come la malaria, come i pidocchi.

I reduci della Grande Guerra, per sopravvivere, erano stati costretti a occupare le terre incolte del latifondo e Arturo, uno di loro, non solo aveva dato in affitto a prezzi stracciati alcune quote del Rossarco, ma si era prodigato per far nascere in paese una cooperativa agricola e una di consumo. Il padre gli consigliava di pensare alla propria famiglia e di non mettersi nei guai. Il figlio rispondeva seccato: «Io sono contento se stiamo tutti bene uguale». Il padre ribatteva: «Tu sei ingenuo e pure un poco ciòto, l'uguaglianza a questo mondo non esiste».

Le cooperative vennero legalizzate dal decreto Visocchi e il primo vantaggio per i soci fu di contrattare collettivamente con i latifondisti e ridurre il canone di affitto. Almeno così non si moriva di fame, sosteneva Arturo, perché la campagna ha questo di buono: che un boccone di pane, un piatto di ceci e di fave, una verdura, un frutto per te e una ghianda per i maiali te li fa ricavare, soprattutto quando è tua, la campagna, o non hai affitti capestro di terragera attorno al collo.

Arturo si sentiva fortunato: aveva il Rossarco che gli dava

pane, companatico e vino. Era un terreno di seconda classe, duro e pietroso, a parte un fondo abbastanza fertile coltivato a vigna e una striscia vicina alla fiumara, su cui cresceva rigoglioso un piccolo agrumeto di limoni, mannarini e portugalli. Arturo non si lamentava. Tra l'altro, dopo la nascita del figlio sulla collina, non vedeva più l'occhio accusatore del mort'ammazzato. Come se la potenza della vita avesse scacciato per sempre l'ombra della morte.

La sua famiglia possedeva anche un mulo e un carretto, quattro capre, due maiali tenuti in una zimba non lontana da casa, una decina di conigli e un numero imprecisato di galline e galli, che venivano accuditi dalla madre Sofia. Arturo non si lamentava per sé. Fin da ragazzo era insofferente alle ingiustizie e non sopportava, ad esempio, che i latifondisti della zona lasciassero incolte le terre di proprietà o quelle usurpate al demanio e poi pretendessero dai contadini un affitto in natura di due tomoli di grano per ogni tomolata di terra.

«Se era per me» gridava in piazza, «li manderei ai lavori forzati, i don prepotenti e pure i loro don figli, disonesti uguale, così imparano cosa vuol dire faticare.» Lui lo sapeva da quando era un bambino di nove anni e zappava le terre del Rossarco con il padre e le buonanime dei fratelli.

La risposta piccata di don Lico arrivò tramite i suoi scagnozzi lecchini che frequentavano la piazza e le osterie del paese per spiare i ribelli come Arturo. «Fatti i cazzi tuoi, Arturì, ché campi cent'anni» gli dissero a muso duro.

Lui ribatté con sarcasmo: «Grazie per il consiglio e salutatemi il vostro padrone».

Durante la mietitura, la vendemmia e la raccolta delle olive, oltre che dal padre, Arturo si faceva aiutare dalla moglie, dalla madre e dalla suocera. Se il tempo era bello, il piccolo Michelangelo lo portavano con loro e, finché non imparò a camminare, lo mettevano in un cesto di vimini appeso all'ulivo gigante, una sorta di culla che dondolava spinta dal vento. Il bambino dormiva beato e quando si svegliava, se non aveva fame, osservava con la serietà di un adulto la chioma dell'ulivo sopra di sé e gli uccellini che cinguettavano saltellando tra i rami e poi volavano tra le nuvole. A intervalli regolari, però, richiamava la madre con un pianto disperato.

«Ha di nuovo fame» diceva lei e accorreva per allattarlo. Lo prendeva in braccio e, appena il piccolo vedeva il capezzolo davanti alla bocca e sentiva l'odore del latte, smetteva di piangere e a occhi chiusi, più beato di prima, poppava con ingordigia, i pugni serrati, come se avesse paura che qualcun altro potesse scacciarlo dal seno prosperoso della madre.

A mezzogiorno gli adulti si fermavano una mezzoretta per mangiare un boccone e riposarsi. Poggiavano il bambino sopra una coperta di lino e si disponevano in cerchio attorno a lui. Il piccolo dimenava le gambe e le braccia, a volte ruzzolava casualmente verso la madre o verso il nonno, e gli altri facevano i gelosi, «vuoi più bene alla mamma, eh, ciotarèllo» gli rinfacciava il padre mentre Michelangelo gli stringeva forte il dito; «vieni qua che ti mangio crudo» ordinava la nonna materna, «quanto sei saporitòso», e gli dava dei piccoli morsi sui piedini. Il bambino rideva e si dimenava ancora di più, ruzzolava e rideva, rideva e cresceva, al centro dell'attenzione e di un affetto sconfinato, come un piccolo principe.

Un giorno, mentre mangiavano allegri sotto l'ulivo gigante, sentirono un nitrito minaccioso e poco dopo, dalla mulattiera che attraversava il bosco di Tripepi, spuntò in sella al suo cavallo il fattore di don Lico. Portava il fucile ad armacollo e una vecchia coppola sulla testa calva. Lo conoscevano tutti, girava per le campagne di don Lico dalla mattina alla sera per controllare il lavoro degli affittuari e dei salariati. Se occorreva, sparava per spaventarli.

Sorrise sotto i baffetti curati, impertinenti, e parlò senza scendere da cavallo: «Buon appetito e scusate il disturbo...».

«A favorire» lo interruppero in coro gli Arcuri.

«Sono qui per chiedervi di passare dal palazzo, stasera, dopocena. Don Lico vi vuole parlare.»

«Se è così urgente, ditegli di venire lui a casa nostra. Lo sa dove abitiamo» rispose Arturo continuando a masticare.

«Cosa vuole don Lico da noi?» chiese la moglie preoccupata.

«Nulla di malamente, donna Lina. Non vi scantàte. Vuole solo ragionare del Rossarco. Di più vi dirà don Lico in persona. Un consiglio d'amico e da paesano: non mettetevi contro di lui, altrimenti ve ne pentirete. E stasera passate voi, v'arraccomando, che è meglio per tutti.»

Il cavallo nitrì di nuovo minaccioso e il bambino scoppiò a piangere.

«Fatemi il piacere, mo' andatevene da qua ché mi spagnàte la creatura» gli disse Arturo. Poi prese il figlio in braccio, gli diede un bacio sulla fronte e lo affidò alla moglie, che con un gesto rapido scoprì il seno pesante per allattarlo.

Dopo cena, Alberto aveva intenzione di recarsi da don Lico, non soltanto per evitare rogne, confidò ai familiari, ma soprattutto per sapere cosa volesse di preciso da loro. Arturo lo convinse che sarebbe stato un passo sbagliato: «Don Lico tiene solamente una cosa nella crozza: fricarci la nostra terra con le buone o con le male. Sta dicendo in giro che vogliamo vendere le quote migliori proprio a lui. Ohi pa', quello ci sta preparando un tranello, lo capisci o no? Noi non dobbiamo cascarci, non siamo ciòti come crede lui».

Le rogne cominciarono quattro o cinque giorni dopo: il grossista della Marina, che ogni anno passava puntuale per acquistare l'olio degli Arcuri, non si presentò, né fece sapere il motivo del suo comportamento. E neanche il vino riuscirono a vendere in quel periodo, e neanche un quintale del loro grano fu richiesto dai compratori forestieri e paesani. Un vero e proprio boicottaggio, di cui tutti conoscevano l'artefice pur senza nominarlo mai. Solo la cooperativa di consumo comprò ad Arturo modeste quantità di olio e vino. Troppo poco per tirare avanti a testa alta.

Come se le rogne private non bastassero, dopo l'avvento del fascismo le cooperative fallirono dappertutto e i più strenui difensori furono minacciati o costretti a emigrare nelle Meriche o addirittura, in qualche caso, arrestati.

Trovatosi in poco tempo con l'acqua alla gola e senza un soldo in tasca, Arturo accettò di lavorare per il Consorzio autonomo delle cooperative ravennati, che assumeva i reduci della guerra nella bonifica di pantani e paludi a nordest di Cirò Marina, tra la linea ferroviaria e la piana costiera. Con lui furono assunti decine di disoccupati della zona.

Per arrivare puntuale al lavoro Arturo dormiva nella casella del Rossarco. Al risveglio scendeva svelto lungo il Piloru e poi imboccava la stradina che portava dritto al faro di Punta Alice. Più faticoso la sera, con la stanchezza del giorno e la dura salita sulla groppa, ma almeno di notte Arturo stava al riparo e non veniva divorato dalle zanzare come i suoi compagni, costretti a dormire in pagliai accanto alle paludi perché il viaggio a piedi fino al paese era lungo e massacrante. Tornavano a casa il sabato sera, tutti insieme, a passi lesti e in allegria.

Arturo abbracciava Lina e il figlio, giocava un po' con loro e a tavola descriveva ai genitori i grandi lavori di bonifica che stavano realizzando. Nell'area dei pantani più grossi avevano predisposto una ferrovia provvisoria chiamata Decauville; con un trenino trasportavano carrelli di sabbia asciutta e li svuotavano sugli acquitrini infestati da zanzare malariche, quelle figlie di puttana che avevano fatto ammalare anche lui da ragazzo e, ora che spariva l'acqua putrida e puzzolente che le nutriva, morivano a milioni. Proprio in quei giorni lui stesso aveva piantato centinaia di alberelli di eucalipto, ideali per i terreni paludosi: con le loro radici avrebbero completato l'opera di risucchio delle acque in profondità.

La notte, immancabilmente, faceva l'amore con la giovane moglie. Si desideravano e si amavano come durante la serenata nuziale, per ore e ore, finché non avevano più la forza di muoversi. Per non svegliare i vecchi suoceri che dormivano nella stanza di sopra e il piccolo nella culla accanto al letto, Lina non urlava come avrebbe voluto ogni volta che la lingua di Arturo indugiava avida sui suoi capezzoli; né quando si muovevano all'unisono, si strusciavano con una furia disperata, pelle contro pelle, rischiando di incendiarsi, e il brivido dell'orgasmo li faceva sussultare come vulcani. Avevano i corpi giovani e infuocati, una sola notte a settimana non gli bastava. In quei momenti Lina non vedeva l'ora che il lavoro a Punta Alice terminasse; il giorno successivo, a mente lucida e dopo aver salutato il marito con un bacio, pregava sant'Antonio che quel lavoro continuasse.

5

Un giorno di marzo, mentre il trenino Decauville era fermo accanto all'area pantanosa, gli addetti al carico e scarico dei carrelli scorsero nel terriccio numerosi pezzi di terracotta, statuette di bronzo, monete corrose. Si guardarono in faccia sorpresi e, senza dire una parola a Giuseppe Parrilla, il loro caposquadra, si divisero il bottino riempiendosi il tascapane con gli oggetti più sfiziosi.

Quel sabato Arturo portò in regalo al piccolo Michelangelo una statuetta di bronzo, un cavalluccio di terracotta, un vasetto dalla forma di trottola; alla moglie un anello d'argento, che lucidato sembrava nuovo e le stava a pennello; ai suoi genitori una lucerna a navicella. Per sé tenne una moneta d'argento con un tripode ben visibile su una faccia e incavato dall'altra: «Sarà il mio portafortuna» disse mostrandola ai familiari.

Forse nessuno degli operai aveva capito l'importanza dei ritrovamenti, per loro erano cose anticarie di poco o nessun valore, come quelle che ogni tanto rinvenivano zappando i campi. Quando però dal terreno sbucarono una grossa testa maschile e dei piedi di marmo, mattoni e blocchi enormi di tufo giallastro squadrati a regola d'arte, capitelli e rocchi di colonne, Arturo, Giuseppe Parrilla e altri due operai della sua squadra avvisarono l'ingegner Di Lorenzo e da quel momento quasi tutto il materiale ritrovato fu messo in salvo nel castello della famiglia Sabatini, cui apparteneva il terreno.

Ufficialmente i lavori di bonifica furono sospesi dal Genio Civile di Catanzaro a metà aprile del 1923, in accordo con il soprintendente Paolo Orsi. In realtà gli operai continuarono a lavorare ogni giorno come se fosse l'ultimo, in attesa dello stop definitivo.

Arturo era nervoso e di malumore. Per sua fortuna, sul finire dell'estate, ci pensò la moglie a farlo sorridere di felicità. Una notte, dopo aver trattenuto a stento l'urlo dell'orgasmo settimanale, annunciò al marito mordicchiandogli l'orecchio: «Sono di nuovo gravida».

Dopo la nascita di Michelangelo aveva avuto due aborti spontanei, dovuti al fatto che non si arriguardava, secondo le vicine di casa, anzi sfacchinava come un mascolo in campagna al posto del marito e nemmanco a casa si risparmiava, dimenticando che era una cristiana e non una mula, la ciòta Lina. «La prossima volta starò più attenta» aveva giurato a se stessa e agli altri dopo il primo aborto. Ma poi c'era ricascata, complice la perdita sfiancante della madre, che era diventata magra magra come una rindinella, aveva sofferto le pene dell'inferno e con lei la figlia incinta, ogni giorno con l'ombra della morte accanto al letto, povera mamma, finché l'aveva accolta il cielo con la seconda creatura mai nata tra le braccia.

Quella notte, prima di addormentarsi appagata, Lina pregò in silenzio sant'Antonio che l'aiutasse a portare a compimento la nuova gravidanza. Invece Arturo restò sveglio per buona parte della notte: aveva preso dal comodino la moneta d'argento e la stringeva forte nel pugno.

Il giorno dopo tornò a Punta Alice con il sorriso sulle labbra. E ai compagni che gli chiedevano: «Da dove nèscia quest'alle gria, compar Arturì?», rispondeva sicuro: «Il vento è cambiato, finalmente. Vedrete».

La previsione risultò azzeccata: lavorarono indisturbati per altri otto mesi. Inoltre il Consorzio di Ravenna aveva subappaltato i lavori a cottimisti locali, che venivano pagati bene. E avrebbero continuato a danneggiare imperterriti l'area archeologica se un giorno non fosse intervenuto Paolo Orsi in persona.

«Sì, confermo: questa platea di fondazione appartiene al santuario di Apollo Aleo. Le altre ruine là in fondo appartengono certamente alle case dei sacerdoti» furono le prime parole che pronunciò il professor Orsi la mattina del 3 maggio 1924 quando arrivò sul luogo dei ritrovamenti. Era circondato da un gruppetto di uomini che pendevano dalle sue labbra: il disegnatore Rosario Carta, un giovane archeologo romano e uno tedesco, il restauratore Giuseppe D'Amico, tre o quattro distinti signori di Cirò e i proprietari del terreno, Giuseppe e Francesco Sabatini, padre e figlio, gli unici due che Arturo conosceva di vista e di fama. A pochi passi da loro, in attesa di ordini precisi, sciamava inquieta una squadra di operai.

«Purtroppo il tempio e soprattutto le case sono in uno stato miserando...» disse Rosario Carta, che aveva diretto gli scavi al posto di Orsi già dal 24 aprile.

«Lo vedo: sembrano cave di pietre e di mattoni» commentò burbero il professore. «Di sicuro avranno subìto saccheggi nei secoli scorsi e ai giorni nostri.»

Pareva quasi che se ne volesse andare, talmente era deluso; invece cominciò a perlustrare ogni angolo delle rovine e a organizzare nuovi scavi, dando a ognuno dei suoi collaboratori un compito preciso. Faceva paura per la voce cavernosa con cui dettava gli ordini, ma sprigionava un'energia palpabile che cresceva di ora in ora. Solo di una cosa non riusciva a capacitarsi e la ripeteva di continuo: «Quando perlustrai questa zona, alla vigilia della guerra, ero convinto che il tempio si nascondesse in qualche collina qua attorno, forse in quella rossa che si trova proprio di fronte a noi» e indicò con il lungo braccio teso il Rossarco. «Mai avrei pensato che un tempio greco potesse emergere da una piana acquitrinosa, un vero e proprio pantano impraticabile, coperto da un boschetto di mirto, quasi al livello del mare. Un tempio vicino al mare veniva eretto sempre in un posto elevato che dominava la costa e poteva essere avvistato dai naviganti in lontananza.»

Gli altri sorrisero, ossequiosi e intimiditi dalla sua preparazione. Paolo Orsi sospirò: «Questo santuario rappresenta un'anomalia, perciò mi ha tratto in inganno. Ammetto che mi sono sbagliato e che il mio illustre amico Luigi Siciliani, forte delle tenaci credenze popolari, aveva ragione. È stato lui a scrivermi prima un telegramma e poi una lettera allarmata richiedendo il mio intervento, e non mi sono pentito di essere venuto»

«Avete fatto bene» gli disse Giuseppe Sabatini. «Sono sicuro che scoprirete pure dov'è ubicata esattamente Krimisa...»

«Un passo per volta» concluse il professore. «Krimisa merita degli scavi ad hoc, anche se non escludo che durante questa campagna possa sbucare fuori qualche traccia più precisa.»

Arturo aveva ascoltato Paolo Orsi con apprensione, convinto che i lavori di bonifica sarebbero stati interrotti e lui licenziato. Invece il professore utilizzò molti operai per gli scavi, anzi ne scelse per sé un gruppetto che definì «squadra di operai intelligenti»: lo avrebbero affiancato nelle perlustrazioni e nei compiti più delicati. Arturo non venne scelto e, permaloso com'era, giudicò arrogante quel professore, di cui il padre aveva parlato così bene. E gli cadde subito dal cuore.

Del resto, più i giorni passavano e più si convinceva che quegli scavi fossero fatica sprecata. Paolo Orsi pretese addirittura che gli operai rivangassero centinaia di metri cubi di sabbia con cui avevano già colmato i pantani più profondi. «E tutto questo per recuperare qualche roba anticaria, pezzi e pezzettini di gancelle, vasi e ciaramìde, qualche chiodo di bronzo, qualche moneta marcita» diceva Arturo a casa, deluso. La moglie incinta e la madre gli davano ragione, il padre non si esprimeva chiaramente: troppo grande era la stima per il professore, che lui riteneva sperto e perbene. «Se fa scavare» sbottò infine, «ci sarà un motivo valido che forse un contadino come noi non può capire.»

Il figlio si arrabbiò: «Cosa c'è da capire? Sono più importanti quattro pietre in croce dentro un pantano fitùso e zanzaroso o una bella piana bonificata e fertile, dove un giorno cresceranno alberi da frutto e vigne, che daranno da mangiare a tanta gente? Con gli scavi cosa si mangia, i pezzi di terracotta? Queste robe interessano solo a chi ha già la panza piena e una grassa eredità per i suoi figli e i figli dei figli».

Alberto non volle o non seppe rispondergli, mentre il piccolo Michelangelo guardava il padre con un'aria perplessa e un po' spaventata e, per farlo sorridere, ricorreva alla cosiddetta zingatella, l'occhiolino da innamorato, strizzando a ripetizione prima un occhio e poi l'altro.

Non c'era l'ombra di un albero in tutta la striscia costiera attorno al promontorio di Punta Alice e a maggio di quell'anno faceva un caldo insopportabile. Gli eucalipti piantati da Arturo erano ancora mingherlini. Per evitare la canicola sfiancante e accelerare i lavori di sbancamento di una collinetta, che Paolo Orsi chiamava "il mammellone", talvolta si proseguiva di notte, alla luce della luna piena, delle stelle e, a intermittenza, del faro. Il mare sciabordava invisibile e lento a poche centinaia di metri, Arturo ne sentiva la voce fresca tra il rumore delle vanghe e il respiro affannoso dei compagni.

Paolo Orsi si aggirava in mezzo ai ruderi come un fantasma, alto e silenzioso. Poi si ritirava in una specie di ripostiglio a cielo aperto, in parte delimitato da una rete metallica, si sedeva su un rocchio di colonna e faceva l'inventario dei reperti, trascrivendolo sul taccuino. Ogni tanto lo rileggeva ad alta voce: «Alcuni chiodi e una freccia col suo gambo. In un'area di poco più di un metro quadrato si ricuperarono ventun monete in bronzo assai consunte... sottilissime fogliette d'oro... un esemplare completo di antefissa con mascherone di Medusa. Pezzo principe della giornata è stata la figurina di Apollo, in oro...».

Una statuetta più grande e in argento fu ritrovata il 14 maggio da Arturo a circa duecento metri dal tempio. Poco prima c'era stato un diluvio che aveva trasformato in poltiglia tutto il terreno rivangato. Mentre gli altri operai stavano ritornando a casa, Arturo aveva visto luccicare nel fango la statuetta. Avrebbe potuto trafugarla, come facevano in molti, quando si trattava di oggetti in oro o in argento. Invece lui non ebbe tentazioni di sorta. Chiamò il professore e gliela consegnò ancora sporca di melma.

«È un prezioso idolo che raffigura Apollo, il pezzo più bello ritrovato nelle sabbie rivangate. Lei è un uomo onesto» gli disse Paolo Orsi. Era visibilmente soddisfatto, gli luccicavano gli occhi dietro gli occhiali, si girava la statuetta tra le mani pulendola con un fazzoletto, pareva un bambino che avesse ritrovato un giocattolo smarrito da tempo. Poi gli offrì una generosa somma di denaro come ricompensa, settanta lire, l'equivalente di una settimana di lavoro.

Arturo era imbarazzato, non voleva accettare, ripeteva: «Ma io ho fatto solo il mio dovere».

Il professore fu irremovibile: «Lei si merita la ricompensa; è anche poco, mi creda, per il servizio che ci ha reso».

«Non posso accettare, io...»

«Non faccia storie, le serviranno per la sua famiglia» insistette il professore, e gli infilò i soldi nella tasca dei pantaloni. «Li usi per i suoi figli, se ne ha.»

«Ne tengo uno di tre anni e mia moglie è incinta, dovrebbe partorire a metà giugno.»

«Lo vede? Questo è un momento fortunato per lei. Auguri in anticipo. A domani!»

Era la prima volta che i due si parlavano. Nei giorni seguenti si scambiarono i saluti e qualche battuta sullo stato dei lavori. Arturo era rimasto così colpito dalla correttezza e generosità del professore che una mattina fece finta di trovare la sua moneta d'argento in un cumulo di terriccio e gliela diede senza rimpianti. Tanto, pensò, non era mia, e se davvero ha il potere di portarmi fortuna, me la porterà anche da lontano.

Paolo Orsi lo ringraziò con il solito entusiasmo, conservò la moneta nel ripostiglio e riprese a lavorare instancabile. Si fermava di rado. Talvolta, mentre si asciugava il sudore tra i pochi capelli bianchi incollati sulla sommità del capo e si faceva aria con il cappello, osservava assorto la collina rossa, ne accarezzava con lo sguardo tutti i punti visibili, a tratti chiudeva gli occhi, forse ne aspirava la fragranza che il vento spingeva fin laggiù.

Arturo avrebbe voluto rivelargli che il Rossarco apparteneva alla sua famiglia e l'uomo che un giorno lo aveva fermato, puntandogli contro il fucile, era suo padre Alberto. Apriva la bocca per parlare, poi la richiudeva distratto, annusando l'aria impregnata del profumo a lui noto, e continuava a rivangare il terreno.

Dal 19 maggio non si videro più. Gli scavi sarebbero proseguiti senza il professor Orsi fino al 6 giugno 1924.

Rientrato a casa, Arturo diede i soldi della ricompensa alla moglie, «questi mettili da parte per nostro figlio» disse, e ammise che il padre aveva ragione: il professore era sperto e perbene. Sulla necessità degli scavi, invece, non cambiò parere: «Quello cerca sottoterra robe morte da millenni, a me interessa ciò che cresce sopra e le persone vive mo', in questo giorno bollato». E accarezzava il pancione tondo di Lina colmo di vita.

6

Era stata coccolata come una vera signora per tutta la gravidanza: il suocero le vietava di mettere piede sul Rossarco, le fatiche agricole se le sobbarcavano lui, pur essendo ormai vecchio, e il figlio quando rientrava dalla bonifica; la suocera non le faceva toccare un panno sporco o una stoviglia e le cucinava le pietanze preferite a base di ceci, fagioli, piselli e fave, che Lina divorava tagliuzzandovi sopra cipolle e peperoncini; il marito le portava dalla Marina sarde e vope appena pescate e i frutti primentini che maturavano in campagna, nespole, ciliegie, pesche, bottafichi, more di gelso e di rovo. Persino il piccolo Michelangelo non aspettava che la madre lo sgridasse o gli mollasse uno schiaffettone sulla nuca o un pizzicotto sulla guancia, le ubbidiva di corsa, addirittura aveva smesso spontaneamente di ciucciare al seno, come ancora faceva a tre anni per addormentarsi: «Il latte nuovo è per il fratelluzzo» aveva detto una sera aggrottando le sopracciglia, per rimarcare la solennità della decisione.

Lina si godeva quella lunga vacanza di nove mesi con qualche rimorso e una sconosciuta pigrizia da reginella: mangiava con un appetito doppio, si rimetteva a letto dopo ogni pasto, chiudeva gli occhi e aspettava le carezze del figlio e del marito, che tornava di sabato con il tascapane pieno di leccornie soltanto per lei e per la creatura che portava in grembo. Era diventata soda e sinuosa come una giara.

L'ultima settimana, in attesa delle doglie, scese dal letto solo per fare i suoi bisogni nel pitale. All'alba del 13 giugno svegliò il marito: «Tocca qua, tengo le cosce bagnate: mi si sono rotte le acque» disse allarmata. Era il giorno della grande festa in onore di sant'Antonio da Padova. Arturo saltò giù dal letto, si vestì in un baleno e corse a chiamare la mammana.

Nella tarda mattinata, mentre la processione stava percorrendo il vicolo di casa Arcuri e la banda musicale suonava una marcia allegra dietro la statua del santo, Lina partorì una creatura di circa quattro chili. Non un maschietto, come aveva sperato il piccolo Michelangelo, ma una femminuccia avvolta quasi del tutto in un velo appiccicoso e trasparente, che la suocera, diffondendo la bonanova, chiamò «la camisa della fortuna».

Arturo sparò due colpi di fucile nel cielo di quel giorno santo e, grazie anche alla processione, il paese venne a sapere in tempo reale della nuova nascita in casa Arcuri. Nel vicolo furono subito portati un tavolo, bottiglie, bicchieri e mostaccioli in quantità. Le persone in coda alla processione si fermarono per brindare alla salute della neonata con un dolce liquorino di mirto o un buon bicchiere di vino del Rossarco; e tutti dicevano che sul nome della bambina non c'erano dubbi: Antonia, l'aveva scelto lei stessa nascendo proprio quel giorno di festa, durante la processione di sant'Antonio. E la famiglia Arcuri, che un nome già l'aveva scelto per tradizione, Sofia come la nonna paterna, assentiva spiazzata e sorridente.

Verso sera, dopo aver confabulato a lungo con la moglie, Arturo annunciò il nome ufficiale della figlia: «La chiameremo Sofia Antonia Arcuri» disse, «suona molto bene, vero?». Ma già dal giorno dopo tutti gli amici e i parenti che arrivavano in frotta portando in regalo galletti, gallinelle, palombi, uova, bottiglie di liquore, vasetti di miele, copertine fatte al telaio, chiamarono la bambina con le varianti più affettuose del secondo nome: Antonella, Antonuzza, Antonina, Nuccia, Nina, Ninarè, Ninella, Ninarella.

La nonna non si offese: «Che sono queste ciotìe, un nome vale l'altro, io ringrazio sant'Antonio che la piccola è nata sanizza, questo m'importa a me».

Il fratello cercava di nascondere la sua gelosia per quell'intrusa dalla testa grande e calva, però tanto belluzza, che in poche ore gli aveva rubato la scena da piccolo principe: si era sdraiato sul letto accanto alla madre e con un braccio proteggeva la bambina dai baci e dalle carezze dei parenti. Un comportamento che avrebbe mantenuto per tutta la vita nei confronti della sorella. E, tra i tanti nomi sentiti in quei due giorni, aveva scelto quello definitivo: Nina. Che l'indomani, ripensandoci bene, avrebbe trasformato per sempre in Ninabella, con buona pace del nome doppio con cui in futuro si sarebbe ostinato a chiamarla solo il padre.

«Sofia Antonia, bella di papà, sorridi a papà tuo» e Ninabella, dopo un attimo di smarrimento, l'accontentava.

Ad Arturo bastava un sorriso sdentato della figlia per dimenticare i problemi e le fatiche, le miserie e le brutture della vita di quel periodo. Niente lo spaventava, neppure i tentativi subdoli di don Lico per accaparrarsi il Rossarco con le cattive: tempestandolo di lettere altisonanti scritte da avvocati di Cirò, in cui si metteva in discussione la validità degli atti notarili su quei terreni ritenuti demaniali e si suggeriva la vendita per non avere grattacapi; o con le buone: inviandogli addirittura un coniglio, due bottiglie di ottimo vino bianco e un biglietto di auguri per la nascita della bambina.

Arturo restituì al mittente le lettere, che non riusciva a prendere sul serio né a capire nei dettagli, e ringraziò per i regali, che avrebbe ricambiato alla prima occasione. Resisteva alle pressioni senza innervosirsi: era diventato più ottimista e più propositivo del solito, contagiando moglie, figli e genitori. Per scaramanzia non disse mai "come sono felice", perché sapeva che dirlo porta male, ma lo era, felice, e la moglie se ne accorgeva, di notte e di giorno, lo amava più di prima, anche se non ebbe mai il coraggio di dichiarare il suo sentimento a parole.

Alla fine dei lavori di bonifica e degli scavi, Arturo si buttò a capofitto nell'attività agricola. Quell'anno aveva seminato il doppio delle consuete tomolate e ora, nei giorni di brezza, le spighe ondeggiavano lente, appesantite dai grossi chicchi di grano. La collina pareva un mare dorato e la sua ombra si specchiava serpeggiando in quello vero, che brillava fino all'orizzonte.

«E mo' chi te lo accatta tutto questo bendiddio?» gli chiedevano i parenti che lo avevano aiutato alla mietitura, memori del boicottaggio degli anni precedenti.

«Vedrete: mi tengo il comodo per la mia famiglia e il resto lo vendo fino all'ultimo pugno, guadagnando il doppio.»

I parenti scuotevano la testa: «Sei tutto pàtreta, la vita te la insogni a tuo piacimento e dopo ti prendi le lignàte sui denti».

«Scommettiamo un barile di vino?»

Ridevano come se avessero sentito una barzelletta, un po' inteneriti dalla spocchia ingenua di Arturo: «Non scommettiamo una minchia ché sei del nostro sangue e non ti vogliamo fricàre».

La scommessa l'avrebbero persa. Arturo portò quasi tutto il grano in uno dei mulini di Giglietto, poi caricò i sacchi di farina sul carro trainato dal suo mulo e andò alla Marina, dove aveva molti amici, a vendere porta a porta, a un prezzo leggermente inferiore a quello del mercato, ma il quadruplo rispetto alla somma che avrebbe ricavato se avesse venduto il grano ai grossisti.

Tornò a casa con i sacchi vuoti e un bel gruzzoletto di denaro. Per sé si tenne il minimo indispensabile per il trinciato e le spese vive del Rossarco; il resto lo consegnò alla moglie: «Questi soldi mettili da parte per Michelangelo e Sofia Antonia».

Infine si prese in braccio i suoi bambini e, per non far ingelosire Michelangelo, li baciò a turno sulla fronte e a entrambi dedicò uno stornello improvvisato: «Fiore di vento / se io ti bacio sono il più contento / e del mio cuore scordo ogni tormento / Fiore di vento».

7

I figli crescevano sanizzi e sperti, la moglie continuava a fiorire malgrado i due parti, gli aborti e i lavori sfibranti che aveva ripreso a svolgere dopo circa un anno di vita da reginella. Arturo tornava distrutto dal Rossarco, si lavava, mangiava con appetito e ogni sera andava in piazza per incontrare i compagni.

Al principio l'autoritarismo del nuovo regime fascista non era stato avvertito in paese. Il primo podestà sapeva che Spillace era un covo di socialisti e comunisti incalliti, del resto pure lui era stato socialista a suo tempo e, se è per quello, pure Mussolini lo era stato, diceva il podestà, che perciò non aveva avuto l'animo di chiudere le sale dei partiti oppositori: non poteva certo punire o arrestare l'intera comunità.

In piazza, Arturo e i suoi compagni criticavano spavaldi l'operato di Mussolini, l'abolizione del decreto Visocchi che li aveva colpiti personalmente, le buffonate del sabato fascista a cui non partecipavano per principio e perché andavano in campagna a faticare, loro.

Le cose cambiarono in maniera radicale quando fu nominato podestà don Lico. Escluso il Rossarco, a lui appartenevano tutti i terreni agricoli e i boschi attorno a Spillace e ad altri paesi del circondario. Il potere economico era fuori discussione da sempre, ora si legalizzava quello politico: dall'oggi al domani don Lico diventò un piccolo monarca assoluto, un Mussolini in miniatura, per giunta calvo e dagli occhi di brace, sperti e vivaci, ma meno robusto e alto rispetto all'originale.

Come agrario, ai suoi sudditi aumentò il già esoso canone di affitto, circa un quintale di grano, il migliore, s'intendeva, per ogni tomolata di terra; come podestà, raddoppiò nell'arco di una settimana tutte le tasse comunali.

La popolazione si ribellò in massa: furono lanciate pietre contro le finestre del palazzo, qualcuno sparò dei colpi di pistola in aria, fu incendiato il portone e numerosi contadini in groppa ai loro muli accerchiarono il suo fortino come indiani.

La reazione degli uomini armati di don Lico fu immediata e furibonda: purghe, bastonate, intimidazioni ai cosiddetti sobillatori rivoluzionari, i cui capi vennero denunciati e arrestati dai carabinieri.

Arturo si sorprese di non essere stato denunciato, pur avendo protestato in prima fila. Poi capì.

Una domenica, mentre parlava con un gruppetto di compagni in piazza sotto l'ombra di un olmo, vide uscire don Lico e due energumeni forestieri dal portone del palazzo di fronte. Uno dei compagni disse: «Ci ha pure la faccia di passeggiare in paese, dopo quello che ha combinato».

I tre uomini erano incravattati come nei giorni delle feste e camminavano pigri, la faccia al sole, sorridenti. All'inizio fecero un giro senza meta, poi puntarono dritti verso l'olmo. Arturo e i suoi compagni li salutarono riverenti, gli altri ricambiarono con altrettanta gentilezza, «come va, che bella giornata, che bel paese» e altre amenità del genere, fino a quando don Lico si rivolse direttamente ad Arturo: «Se permetti vorrei parlarti in privato».

«Parlate pure, sono tutto orecchie» rispose Arturo con la solita spavalderia che accentuava davanti agli altri.

«Non qui ai quattro venti, vieni a casa mia, beviamo qualcosa, ti rubo al massimo cinque minuti.»

Arturo non sapeva cosa rispondergli, in cuor suo non avrebbe voluto accettare. Cercò conforto nello sguardo dei compagni e loro gli dissero: «Vai, vai tranquillo, compà, che noi ti aspettiamo in piazza».

«Venite con noi, signor Arcuri. Non vi succederà niente. Don Lico vi vuole solo parlare» lo rassicurarono i due sconosciuti.

Così Arturo per la prima volta nella sua vita varcò il portone del palazzo, salì per una scalinata di marmo bianco, attraversò un lungo corridoio tappezzato di quadri ed entrò in una sala ampia e lussuosa con il balcone che dava sulla piazza.

«Accomodati sul divano» gli disse don Lico e lui ubbidì, già pentito e di malumore come un leone in gabbia. I due forestieri restarono in piedi accanto a don Lico, che si era seduto dietro una grande scrivania piena di carte.

«Lo sai, vero, perché ti ho portato qui?» chiese fissandolo negli occhi. Arturo sostenne lo sguardo a lungo, senza rispondere.

«Voglio acquistare il Rossarco. Ti offro un'ultima occasione. Una cifra giusta, non voglio abusare dei miei poteri, lo facciamo valutare a questi galantuomini che sono del mestiere o, se non ti fidi, a chi vuoi tu» disse don Lico in tono conciliante e si girò per avere l'assenso dei due uomini che gli stavano alle spalle.

«Ho detto mille volte no, ma voi non volete sentire ragioni e non capisco perché: benedica, siete pieni di terra, una cinquantina di ettari in più o in meno non vi cambiano la vita; benedica, non avete problemi di nessun tipo, voi» rispose.

In realtà il perché dell'offerta lo capiva Arturo e lo capivano tutti, lo avrebbero capito pure Michelangelo e la piccola Sofia Antonia: in passato la collina non faceva gola a nessuno perché era un abisso di terreno incolto e ronchioso, pieno di rovi, fichi d'India, ramaglie e pietre, che soffocavano qualche raro ulivo secolare. Poi don Lico, vedendo come l'aveva trasformata la famiglia Arcuri grazie a trent'anni di lavoro duro, era passato all'attacco, voleva comprare la collina tutta intera, anzi, possederla a ogni costo – questa è la parola giusta, sottolineava mio padre, "possederla" come si possiede una femmina che non ci sta – non soltanto l'oliveto e la vigna pregiata, che da soli valevano un occhio della testa, ma anche gli ettari del bosco di Tripepi e i burroni.

Ad Arturo venne un dubbio passeggero: per caso c'entrava l'idea di Paolo Orsi che riteneva la collina il cuore dell'antica Krimisa? No, don Lico era troppo avido e ignorante per lasciarsi ossessionare da una fantasticheria del genere, a meno che non credesse, come i bambini e i ciòti di Spillace, ai tesori di monete d'oro nascosti dentro il Rossarco.

«Allora, fammi tu Arturì una proposta seria e, tra galantuomini, ci mettiamo d'accordo. Così domani andiamo a Cirò dal notaio Giglio per l'atto di compravendita. Tu sei una persona sperta, lo capisci che non abbasserò i pantaloni più di così. Ti sto venendo incontro al massimo.»

Arturo gli rispose risoluto: «Insomma, come ve lo devo dire, con la chitarra battente? Io la mia terra non la venderò mai a nessuno, nemmanco a voi, nemmanco a peso d'oro. L'ho promesso a mio padre e l'ho fatto promettere a mia moglie, se muoio prima di lei, e pure ai miei figli che sono ancora bambini. Mai vendere, piuttosto comprare, voi me lo insegnate. Sennò cosa mangiamo quando finiscono i soldi, aria fritta nella padella?».

Don Lico era furibondo, nessuno in paese aveva osato dirgli di no in quella maniera netta, arrogante: «Ti darò io tutta la terra che vuoi in affitto, figurati se ti lascio morire di fame, e in più avrai i soldi freschi sotto il cuscino, potrai far studiare i tuoi figli, costruirti una casa nuova, te lo vendo io il terreno edificabile a basso prezzo, dove vuoi tu. Arturì, una mano lava l'altra, va bene?».

Arturo scoppiò in una risata fragorosa. Poi, tornato serio, rispose: «I miei figli, se tengono testa, li farò studiare con i miei risparmi. E la casa che ho è quella dove sono nato, non siamo gente di lusso, a noi va bene così com'è».

«Sì, ma prova un momento a ragionare, ti sto proponendo un affare conveniente...»

Arturo si stufò: «Basta, mo'. Ho detto no ed è no. Siete più insistente e famelico di un corvo».

«E tu sei un capatosta che più tosta non ce n'è. Vediamo chi la vince...»

«Se provate a mettere un piede sul Rossarco vi sparo in testa, parola mia d'onore» concluse Arturo esasperato, e subito si pentì del suo sfogo. Era stato ingenuo: in quel periodo per molto meno si finiva in galera.

Quando si alzò per andarsene, i due energumeni gli si avvicinarono minacciosi. Don Lico li bloccò con un gesto della mano. Si sentiva offeso nel suo orgoglio di prepotente, ma preferì mostrarsi arrendevole: «Va bene, come non detto». Sorrise, per la prima volta ironico. E quel sorriso esprimeva in maniera inequivocabile il suo pensiero: hanno sentito tutti le tue belle parole conclusive, anche i muri e la piazza. Presto ti pentirai amaramente del tuo rifiuto e della tua minaccia. Poi lo ignorò e si rivolse ai due scagnozzi. E mentre Arturo, schifato più che impaurito, usciva dal salone, le intenzioni di don Lico lo inseguirono minacciose: vendicarsi mantenendo le mani pulite, raccogliere sul suo conto il maggior numero di calunnie, infamie, testimonianze false, e finalmente levarselo dalle palle, quel comunista lazzarone, quel galletto con la cresta doppia.

Qualche sera dopo, un gruppo di squadristi attese Arturo in un vicolo buio a pochi metri da casa e si tolse lo sfizio di umiliarlo con una purga di olio di ricino, previo un fracco di manganellate a tradimento. La mattina seguente, visto che la legge fascista lo permetteva, don Lico in persona e i due testimoni forestieri sporsero denuncia al questore di Polizia giurando che avevano sentito Arcuri Arturo, un comunista di vecchia data e impenitente, minacciare di morte non solo il signor podestà, ma Mussolini in persona. Il signor podestà non era stato aggredito perché i due testimoni oculari avevano bloccato Arcuri Arturo sul divano. Un tipo pericolosissimo e violento, il denunciato, che già in altre occasioni aveva sobillato la popolazione di Spillace a ribellarsi al fascismo, guidando una sommossa contro il palazzo del podestà, come confermavano i verbali dei regi carabinieri di San Nicola.

Il questore passò il suo rapporto al prefetto e questi alla competente commissione provinciale, che confermò ad Arcuri Arturo le accuse di "oppositore politico e pericoloso per la sicurezza pubblica". Infine, con un'ordinanza, lo condannò a cinque anni di confino, da scontare in un'isola lontana chiamata Ventotene.

Somiglianze

Del nonno Arturo, mio padre si vantava di aver ereditato la fossarella al mento, i folti capelli ricci, la barba dura, la pelle olivastra che si abbruniva al primo sole di primavera; per non parlare della cronica allergia ai prepotenti e della spiccata capacità di distinguere, tra cento o più, il profumo della collina rossa: due caratteristiche che mi pareva si fossero accentuate ulteriormente da quando viveva lassù. Del resto, se si mitizza una persona, si finisce per assomigliarle nel profondo.

Come suo padre, anche il mio era diventato un agricoltore esperto – lui che per mestiere aveva fatto il maestro elementare –, e la fatica fisica non lo spaventava.

In quei giorni di Pasqua, mio padre ha voluto che il risultato del suo lavoro lo vedessi con i miei occhi e lo assaggiassi con la mia bocca, più per tranquillizzarmi che per vanto: il vino e l'olio che sono i migliori della zona, il pane di grano duro che cuoceva nel forno a legna dietro la casella, l'orzo che abbrustoliva e macinava a mo' di caffè, la frutta in quantità, idem la verdura dell'orto che annaffiava con l'acqua della fiumara e i funghi di ogni tipo che conservava nell'olio o essiccandoli.

Inoltre mi ha portato in giro per il Rossarco – io già stanco e sudato dopo un quarto d'ora di cammino, lui sempre rapido e asciutto – a raccogliere cicorie, fiori di camomilla, lampagioni che noi chiamiamo "cipulluzze", cardi, asparagi, che crescevano copiosi in ogni dove, e poi portulaca, bietola selvatica, borragine, nonché le cime tenere di ortica e di buglossa azzurra. Della roba che si poteva conservare me ne preparava dei mazzetti e mi diceva: «Sono per tua moglie, ne sarà contenta».

Mio padre stravedeva per Simona, l'unica persona con cui non aveva mai litigato in vita sua, e glielo dimostrava con quei piccoli doni o parteggiando per lei se tra di noi c'erano delle discussioni accese. E ultimamente, rivolto a me, l'aveva elogiata con un complimento che per il suo modo di pensare era il massimo: «Tua moglie è una donna con le palle, come tua madre». Il fatto che per amore di Simona fossi andato a vivere in Trentino lo riteneva una mia debolezza, lei non c'entrava, era tutta colpa mia che non avevo saputo imporle il trasferimento in Calabria. Forse mi considerava troppo remissivo e docile, per stimarmi profondamente, troppo uguale a lui, in certe situazioni. O non sapeva come dimostrarmela, la sua stima, preso com'era dai problemi irrisolti di una vita e dalle tante incombenze da svolgere, se voleva sopravvivere sul Rossarco.

«Non è facile qui» ammetteva, «ma ho ancora l'energia e soprattutto la testa per tirare avanti.» In effetti la forza di volontà non gli mancava, se si incaponiva sarebbe stato capace di vivere da solo sulla luna. Per i lavori più pesanti utilizzava una motozappa e, non trovando manodopera locale, assumeva un gruppetto di immigrati stranieri, per lo più marocchini, gli stessi che in estate scendevano sulle spiagge della Marina a vendere le loro cianfrusaglie ai bagnanti. Persino la carne riusciva a procurarsela sul Rossarco, andando a caccia di selvaggina nel bosco di Tripepi, con la doppietta infallibile sempre imbracciata, come per paura che all'improvviso potesse sbucare un lupo o un delinquente o un fantasma.

Una volta al mese tornava a Spillace per comprare qualche chilo di pasta e le sigarette, novanta pacchetti, fumava più di un turco, più di prima. In quelle occasioni apriva la sua casa abbandonata per arieggiarla e, in vista del mio arrivo, all'inizio di aprile l'aveva fatta pulire da cima a fondo da una donna del posto, per accogliermi nel migliore dei modi.

I suoi compaesani, spiazzati, non capivano il perché di quella vita scomoda, né avevano il coraggio di chiederlo a lui, sicuri che non avrebbe mai risposto: erano cresciuti e pasciuti insieme, conoscevano bene il suo carattere. «Figurati, Michelangelo Arcuri è capatosta peggio di noi e, in più, incazzoso» dicevano alzando le braccia al cielo come per scongiurare una minaccia. E si chiedevano: «Perché un uomo così, un maestro sperto, voluto bene da tutti i suoi scolari vecchi e nuovi, un uomo che i mascoli rispettavano e le femmine occhijavano, prima che si sposasse la Torinèsia e anche dopo, perché si è ridotto uguale a un servaggio?». Questa era la curiosità che li divorava. E, appena mi vedevano in paese durante le vacanze di Pasqua, mi accoglievano con grandi sorrisi e abbracci appiccicosi, poi mi tempestavano di domande, non mi lasciavano in pace, volevano sapere a ogni costo la verità dei fatti, da me che ero un giovane sincero e studiato, mi lusingavano, che potevo essere un loro figlio o un fratello: «Inzomma, non puoi 'ngannarci pure tu come tuo patre».

Io rispondevo, vago: «Sulla collina si sente più libero», oppure: «Voi lo conoscete, è un uomo solitario» e, infine, punzecchiandoli: «Ama il Rossarco più di voi e del paese».

«Tu sei volpigno come Michelangelo, siete pappa e ciccia. Parla, non fare il ciòto. Di noi ti puoi fidare» mi incalzavano senza ritegno.

A quel punto sorridevo controvoglia e li lasciavo affogare nelle loro supposizioni, allontanandomi dal coro di voci petulanti: «Sputa la verità, dài, tutta la verità...».

La verità era sepolta in quel luogo dal profumo misterioso. Forse mio padre aveva deciso di stabilirsi sulla collina per custodire meglio i suoi segreti e le nostre storie. Perciò non capivo come mai ora se ne volesse liberare. E ogni giorno di vacanza lo ascoltavo in preda a un'ansia comprensibile. Poi, lontano 1195 chilometri da lui, a pochi metri da Simona che sentivo muoversi in salotto, chiudevo gli occhi, sniffavo l'aria stantia del mio studio inseguendo un'improbabile scia di profumo e rivedevo tutto attraverso i suoi occhi di bambino.

8

Il bambino stava all'erta, come gli aveva ordinato la madre. Il Rossarco nascondeva insidie di ogni tipo: vipere velenose nell'erba o fra le pietre, calabroni e nidi di vespe, cinghiali e lupi famelici, buche nascoste dai rovi e, in certi punti del bosco di Tripepi, persino trappole preparate dai cacciatori di frodo.

«Attento, ché l'inferno si nasconde nel paradiso» ripeteva la madre scandendo le parole con forza, e assestava alle zolle colpi ritmici di zappetta che sembravano ora carezze ruvide, ora coltellate.

«Non preoccuparti, ma', non mi faccio male» cercò di rassicurarla il bambino, pur non capendo i suoi timori. Era un pomeriggio tiepido di aprile: davanti a lui guizzava un tripudio di profumi e colori tra cui risaltavano il rosso porpora della sulla e, più giù, oltre il binario della ferrovia e la pianura costiera, l'azzurro del mare. Poi con l'agilità di uno scoiattolo salì sull'ulivo gigante per ammirare la mamma in santa pace.

Lei era fatta così: apprensiva e feroce, più padre che madre da quando il marito l'aveva lasciata sola con i due figli piccoli. Le sue mani erano callose come quelle dei contadini e per accarezzare i figli, dopo una giornata di lavoro, usava il dorso delle dita, le guance e le labbra carnose. Era bella la mamma, anche se da lontano pareva un contadino burbero, arrabbiata con la terra dura e con Michelangelo che andava in cerca di nidi o a caccia di lucertole, anziché aiutarla, oppure se ne stava appollaiato ore e ore sull'ulivo gigante per scovare nel cielo la rìndina janca di cui raccontava il nonno.

«Scendi da lassù, Michè, ti prego, ché se cadi ti spiaccichi come un fico maturo e dopo ti do il resto» gli gridò più volte, senza accorgersi che il vento smorzava la forza della sua voce e la sfrangiava in un'eco priva di rabbia.

Il bambino smise di sorridere: aveva sentito un rumore strisciante sul ghiaino della fiumara. Incuriosito, scese rapido dall'albero, corse verso il bordo del campo, laddove cominciava la discesa, e si sporse più che poteva oltre i cespugli di sambuco, quasi stordito dal profumo.

Quando la nuvoletta di polvere si diradò, ai piedi della collina comparve una carrozza scoperta, trainata da due cavalli. Ne scesero tre uomini e cominciarono a dare schiaffi al vento gonfio di moscerini della fiumara, che scorreva a pochi metri di distanza. Parlavano gesticolando animatamente, però le loro voci si sentivano appena, echi di parole soffocate dal gorgoglio dell'acqua. Uno dei tre indirizzò la punta del suo dito dalla carrozza alla cima del Rossarco. Il bambino ritrasse la testa come una tartaruga impaurita e nel guscio del sambuco fece in tempo a vedere gli uomini che imboccavano la mulattiera e salivano a passi svelti verso di lui. Alla prima curva della serpentina li perse di vista; allora con un balzo uscì dal sambuco e corse dalla madre.

«Ohi ma', stanno venendo tre uomini quassù da noi.»

«Tre uomini?» ripeté la madre appoggiando la zappa sulla gonna nera.

«Sì, sono scesi da una carrozza e ora vengono su. Che facciamo, ma'?»

La madre rifletteva preoccupata, non sapeva cosa rispondere, e il bambino avrebbe voluto suggerirle piuttosto di nascondersi, c'erano tanti nascondigli nelle vicinanze, volendo potevano rifugiarsi in una grotta o tra i lecci del bosco di Tripepi o, meglio ancora, nella capanna segreta che aveva costruito lui con i suoi compagni, sventrando a colpi di roncola un rovettàro enorme.

«Aspettiamo. Saranno compratori di olio» disse la madre per tranquillizzarlo, e con un braccio si asciugò il sudore della fronte, fissando poi con una forcina i capelli neri fuoriusciti dal cappello da uomo che li conteneva a stento. Era un cappello a larghe tese appartenuto al marito, che lei usava per ripararsi dal sole e non impolverarsi troppo la testa. Nell'attesa strinse il figlio al suo fianco e gli sorrise.

Due degli sconosciuti salutarono da lontano, continuando ad avvicinarsi: «Buon giorno, signora. Dobbiamo parlarvi». Avevano la voce affannata per la lunga e ripida salita. Uno di loro era un carabiniere, lo si capiva dalla divisa impolverata.

Il terzo, pur essendo il più vecchio, camminava svelto e a scatti, fermandosi di tanto in tanto ad ammirare il Rossarco, ad annusarne l'aria e la terra. Era alto e asciutto, affondava gli stivaloni tra le zolle con naturalezza, senza mai incespicare, quasi seguisse un tracciato a lui familiare. Fu l'unico a stringere la mano alla signora. Non le ricambiò il sorriso, però, la guardò negli occhi per un secondo e riprese la perlustrazione della collina da cui era visibilmente attratto come un innamorato. Disse solo, allisciandosi soprappensiero il folto pizzetto bianco: «Piacere, Paolo Orsi». Aveva un vocione burbero e un accento forestiero. Lei rispose: «Io sono Lina Dattilo, sposata Arcuri. Questa terra è tutta nostra».

«Lo sappiamo, signora» intervenne il più elegante e sudato dei tre, che si era presentato come podestà Gaetani, senza specificare di quale paese. «Siamo qui perché il professor Paolo Orsi, che è un famoso archeologo, vuole fare degli scavi nei vostri terreni. È convinto che sotto i nostri piedi si nascondano tanti tesori antichi, forse la mitica città di Krimisa.»

«Ma che contate! Qui non c'è nessuna Krimisa, qui siamo sul Rossarco, chiamato così per tutti questi bei fiori rossi di sulla che vedete quattorno!» disse la madre a voce alterata.

«Sopra ci sono i fiori rossi, ma sotto, scavando...»

La donna s'incupì e lo interruppe: «No, non potete. Questa terra è nostra. Non vi do il permesso. Qui è tutto coltivato, mi rovinate l'orto e le piante, il vigneto, il grano e il resto, anni e anni di lavoro e sudori al vento. La collina è nostra, non potete scavarla e rovinarcela. E poi quassotto non c'è proprio niente, solo timpa dura. Io lo so, perché la zappolìo quasi ogni giorno da quando mio marito fu mandato al confino».

Il bambino non aveva perso una parola della discussione e, pur parteggiando per la madre, gli dispiaceva che lei non concedesse il permesso di scavare. Chissà quanti tesori avrebbero trovato! Sotto di loro non c'era solo terra dura, la madre aveva detto una bugia: a volte, zappando lungo la discesa che portava al mare, affioravano cocci di vasi antichi, pietre squadrate, qualche lama di coltello arrugginita, e un giorno avevano trovato una statuetta in terracotta, una bella testa di donna dai capelli ondulati come quelli della madre.

Il podestà cominciò ad alzare la voce, spazientito: «Uhè, signora bella! Non siamo venuti a chiedere il permesso, ma ad avvisarvi cortesemente. Se la collina è di interesse archeologico ve la espropriamo per legge e la questione è risolta».

Perché all'improvviso quell'uomo elegante era diventato così aggressivo? Aveva scoperto la bugia? E che ci faceva un carabiniere sul Rossarco? Il bambino non capiva. Si strinse ancora di più alla madre, come se volesse difenderla.

Allora il più vecchio parlò in disparte ai due uomini, che subito dopo si allontanarono senza salutare. Poi disse con il suo vocione convincente: «Signora, non si preoccupi, ho intenzione di scavare sul declivio incolto del Piloru che scende verso il mare. Due e tre saggi orizzontali e verticali per capire se, come spero, la mia intuizione è giusta. Non sradicheremo né alberi, né viti, né una sola spiga di grano. Glielo prometto. In compenso, per la sua collaborazione, le pagherò una congrua somma di denaro. Non si pentirà, glielo assicuro».

Il marito, prima di partire per il confino, le aveva intimato di non fidarsi di nessuno: «In tanti piomberanno sulla collina per accaparrarsela con le buone o con le male, sfruttando la mia assenza» le aveva spiegato, prevedendo ciò che sarebbe successo. «Guai a te se vendi un solo metro quadro del Rossarco. Anzi, lo devi custodire come un tesoro.» E lei, pur trovandosi spesso in difficoltà economiche, aveva rifiutato con sdegno le proposte più allettanti di don Lico e di altri compratori di Cirò.

Quel signore, però, le sembrava onesto e leale, non voleva appropriarsi della loro terra, voleva scavarne delle strisce pagando il disturbo. Non aveva senso rifiutare.

«Quando cominciate?» gli chiese.

«Domani all'alba, con i sopralluoghi. Gli scavi, nei prossimi giorni» rispose l'uomo, serio. Poi si toccò il cappello con le dita a mo' di saluto e finalmente si accorse del bambino, gli sorrise, gli diede un pizzicotto affettuoso sulla guancia e si avviò verso la mulattiera, saltellando tra le zolle leggero come una lepre.

«Andiamo via pure noi, prima che si fa buio. Ninabella e i nonni ci aspettano per cena» disse la madre e nascose la zappa in un cespuglio di lentisco.

9

La mamma l'aveva avvisato prima che arrivassero a casa, in groppa al mulo: «Michè, mutucitto devi stare. Non una mezza parola con nessuno. Ti raccomando».

«Nemmanco al mio compagno Alduzzo? Nemmanco a Ninabella?»

«A nessuno nessuno. Sennò lo sa tutto il paese, di questi scavi. La gente è cattiva e imbidiosa. Specialmente se pensano che ci guadagniamo qualche soldo. Dio ce ne scansi e liberi! Capito? A nessuno.»

«Nemmanco ai nonni?»

«Ai nonni ci parlo io.»

Il bambino non si arrendeva: «Ma lo vedono tutti che ci sono gli scavi».

«Sì, però se lo vengono a sapere subito, da domani il Rossarco diventa un teatro pieno di guallarùsi. Ricordi il proverbio? "Se l'imbidia fussa guàllara, ne vidìvi guallarùsi!" Non ci lascerebbero in pace, direbbero che abbiamo trovato chissà quali tesori e che ci siamo fatti ricchi. Già lo dicono mo', figuriamoci dopo.»

L'immagine della collina piena di invidiosi con l'ernia fece ridere Michelangelo. E lo convinse che la mamma aveva ragione.

«Starò mutucitto. Promesso!» rispose baciandosi l'indice e il medio uniti. Poi respirò forte, controvento. Il profumo del Rossarco lo stava inseguendo. Non vedeva l'ora di ritornarci e scavare assieme al professor Orsi.

Per cena nonna Sofia aveva preparato pasta e ceci. Michelangelo ne divorò due piatti mentre lei lo incitava, come se ce ne fosse bisogno: «Mangia, Michè, ché hai sgobbato più di un faticatore grande».

La madre sorrise: «È saltato da un albero all'altro come una scimmietta, altro che faticare!».

«È ancora guagnùno piccolo, ha solo nove anni.» Nonna Sofia stravedeva per lui e prendeva le sue difese anche quando era indifendibile.

«Quasi dieci, prego. Alla sua età il padre zappava sul Rossarco dalla mattina alla sera e portava la giornata a casa.»

«Che c'entra! Quelli erano tempi famati, oggi i guagnùni devono jire alla scola. E se Arturo nostro era qua con noi, non mandava più il figlio in campagna.»

Ninabella restò abbarbicata alla mamma per tutta la cena. Era molto stanca, di giorno andava in giro per i vicoli, sempre pronta a giocare e a correre come una diavoletta. Appena sentì parlare del padre, chiese con una voce da pulcino sul punto di piangere: «Quando torna papà?».

«Presto, gioia, papà torna presto. Ora dormi, che mamma ti porta a letto.» La bambina cominciò a stropicciarsi gli occhi e ubbidì senza replicare.

Michelangelo sapeva che quella era un'altra bugia necessaria della madre, perché Ninabella voleva sentire esattamente quella parola, "presto", altrimenti si sarebbe messa a piangere. Anche a lui mancava il padre, ma non si faceva illusioni: il confino era lontano, al di là di Napoli, una specie di carcere senza sbarre, gli aveva spiegato la madre, una piccola isola di nome

Ventotene, dove Arturo poteva camminare libero e pure lavorare, volendo, a patto che non si mettesse in testa di tornare in paese anzitempo. Doveva starci cinque anni, erano passati appena ventìtré mesi, e dunque due estati, due Natali e due Pasque senza di lui. Dopo la sua partenza, a casa non avevano festeggiato più nessuna festa, proprio come facevano le famiglie in lutto. «Tutta colpa di don Lico, che ha messo gli occhi viperigni sulla nostra terra» ripeteva la madre al figlio. Così lei era stata costretta a caricarsi le fatiche agricole sulle sue spalle di donna; gli unici che le davano una mano durante le semine e i raccolti erano tre anziani zii materni, un paio di cugini e qualche volta nonna Sofia.

Sul nonno non si poteva contare, ormai non aveva più la forza e la voglia di uscire di casa. Certi giorni non si alzava neppure dal letto. Da quando era sparito il terzo figlio, aveva preso una calàta irreversibile. Se ne stava tutto il giorno con gli occhi sbarrati e ogni tanto parlava da solo, faceva domande ai figli assenti e si dava le risposte. La moglie lo imboccava come un neonato e il vecchio mangiava senza mai un commento, è buono, non è buono, mangiava e parlava con i figli. Di solito era arrabbiato, soprattutto con Arturo: «Te lo avevo detto che se continuavi a fare il furbo quelli t'ammazzavano senza pietà. Tu tieni la capa tosta, non mi ascolti mai» diceva e si rispondeva: «Ohi pa', quante volte ti devo dire che non sono morto? Sì, ma purtroppo morirai presto, figlio mio, perché non stai con due piedi in una scarpa».

Ninabella si metteva a piangere nel sentire le parole del nonno: «Cattivo, sei cattivo, non è vero. Minzognàro. Papà non è morto e non morirà. La mamma dice che tornerà presto».

Lina portava via la figlioletta e la consolava: «Il nonno parla a vanvera, ché è vecchio e il sangue non gli arriva al cervello. Vedrai che il papà torna presto».

Però il papà non tornava veramente. La nonna ci aveva provato a farlo tornare: con l'aiuto del signor Tavella, il maestro di Michelangelo, un forestiero buono come il pane, aveva chiesto la grazia due volte. Purtroppo non aveva avuto risposte. E il signor maestro Tavella era desolato quanto i familiari e sperava che il periodo di confino venisse ridotto per buona condotta o che almeno non fosse raddoppiato, dieci anni anziché cinque. «No, no, per carità di Dio, figliuma deve nèscere prima, sennò faccio un macello!» gridava Sofia. E assieme a Lina malediceva il colpevole, quel fascistazzo dal cuore nero e prepotente che al paese tutti temevano, davanti gli ubbidivano sorridenti, a testa china, pure i bambini all'adunata del sabato in piazza, e dietro gli auguravano che morisse scannato come un porco, che gli si gelasse il sangue nelle vene, che un fulmine a ciel sereno lo bruciasse vivo.

Michelangelo si pulì le labbra con il dorso della mano, un gesto rapido e rabbioso. Disse: «Vado a giocare un po' con i compagni». Alzandosi dalla sedia incrociò lo sguardo fiero del padre, la cui foto con i fratelli morti campeggiava alla parete della cucina. Se non torni presto, gli disse col pensiero, vengo io a prenderti e ti porto qui da noi. Don Lico me lo proibisce? Vado al palazzo e gli sparo in testa con il tuo fucile. Io so dove lo hai nascosto. Non ho paura di nessuno, preciso te. Ciao, pa'.

La mamma gli lanciò uno sguardo complice e il bambino sfiorò veloce le labbra corrucciate con le dita per ribadire il giuramento.

Più tardi bastarono dieci minuti di gioco a nascondino con i suoi compagni, per fargli passare il magone e l'arrabbiatura. Quella sera si sentiva imbattibile. Durante la solita partita di calcio in piazza, con un pallone di stracci, non si fermò un istante: correva in difesa e all'attacco, se veniva superato sgambettava l'avversario, rideva come un pazzo e a ogni gol urlava in maniera esagerata, suscitando le proteste dei vecchi contadini che non riuscivano ad appisolarsi dopo cena e le pernacchie insolenti della squadra rivale. Per fortuna il buio pesto pose fine al combattimento.

«Che cos'avevi stasera?» gli chiese il suo amico Alduzzo sulla strada di casa. «Sembravi muzzicato da una tarantella velenosa.»

Mutucitto devi stare.

«Niente. È che sono contento perché ho saputo da mamma che papà torna presto.»

10

Krimisa era una piccola città della Magna Grecia e sorgeva su una collina tra l'attuale Cirò e il mar Jonio. Secondo lo storico Strabone, a fondarla fu il famoso arciere Filottete, che veniva dalla Tessaglia e aveva combattuto nella guerra di Troia. Rientrato in patria, in seguito a una sanguinosa rivolta era fuggito con un gruppo di greci epiroti ed era sbarcato a Punta Alice. Da lì aveva perlustrato i dintorni. Non gli fu difficile scegliere dove costruire la sua nuova città perché i luoghi ti attraggono come le persone, ti seducono con il loro sguardo luminoso, la lingua di vento, il profumo mai sentito prima. Infatti, quando Filottete salì sulla collina e vide il promontorio che si incuneava in un mare solenne, non ebbe il minimo dubbio: lì, in quel pianoro baciato dal sole, avrebbe eretto un tempio in onore di Apollo Aleo, mentre la città sarebbe sorta più in su, sul versante di fronte allo Jonio.

Questo raccontò Paolo Orsi setacciando il terreno in lungo e in largo, assieme a due uomini un po' spaesati che aveva presentato come suoi collaboratori: il disegnatore Rosario Carta e il restauratore Giuseppe D'Amico.

Il bambino inseguiva quasi di corsa il passo lungo del professor Orsi e, soprattutto, le sue parole difficili che cercava di memorizzare come una poesia di cui non si comprende il senso ma che colpisce per il suono ammaliante, per l'enigma che cela. Raccontava e camminava instancabile, il professore, fiutava l'aria e tastava il terreno, tornava sui suoi passi e all'improvviso si dirigeva verso l'ulivo gigante, da dove era partito. Dietro di lui, Michelangelo con la mamma e i due collaboratori, che di tanto in tanto si fermavano per scrivere o disegnare sui loro quaderni.

Michelangelo ebbe la sensazione che altri occhi osservassero i movimenti di Paolo Orsi e del piccolo corteo. Si girò di scatto verso il bosco di Tripepi. Non c'era nessuno, le cime dei lecci continuavano a dimenarsi e rumoreggiare per colpa del vento.

Il professore teneva una mano pigiata sul suo cappello per paura che gli volasse via. E intanto continuava a camminare e a parlare.

«Che vento! È sempre così infernale?» chiese.

«Quando si arrabbia è peggio» gli rispose pronto il bambino.

«Laggiù c'è il tempio di Apollo Aleo che abbiamo portato alla luce nella primavera del 1924. Lo avevo cercato una decina di anni prima, nel 1915, perlustrando questi luoghi. Salii pure su questa collina e fui fermato da un uomo che mi puntò il fucile contro...»

«Era mio sòcero, è un cristiano buono, non voleva spararvi davvero» lo interruppe la donna.

«Infatti, quando seppe cosa cercavo fu molto cortese, rispose alle mie domande e mi offrì da bere un ottimo vino. La mia idea era di cominciare da qui e poi scendere con scavi mirati verso Punta Alice perché immaginavo che la città si fosse sviluppata a ventaglio attorno al promontorio. Sennonché il giorno stesso fui arrestato: vedendomi girare per le colline e il pianoro da Cirò a Cariati, le guardie mi avevano scambiato per una spia austriaca.» I due uomini risero. «Fui liberato subito, ma nel frattempo era scoppiata la guerra e la campagna di scavi fu rimandata» continuò il professore. «Ora spero di trovare il sito della piccola città di Krimisa, di cui fino a oggi conosciamo, più che la storia, una leggenda suggestiva e basta.»

A quel punto, sorprendendo un po' tutti, intervenne di nuovo la donna: «Professò, scusatemi se dico una ciotìa, ma io di tutti i nomi che andate dicendo, Mangiagreca, Stabuono e altri nomi strambi, ne conosco uno simile al vostro: Krisma. È la collina lunga, tagliata dalle timpe, che sta di fronte al paese nostro. Lo vedete quel bosco di ilici lassù? Quella è Krisma che scende al di là della fiumara. Non può essere che Krimisa è stata storpiata in Krisma, che inzomma è la stessa cosa, lo stesso nome anticario?».

«Ci avevo pensato anch'io, lo giuro» disse Michelangelo, ed era sincero.

In un primo momento il professore si mise a ridere, una risata discreta di pochi secondi, e i due collaboratori lo imitarono; poi sfilò un taccuino dalla tasca della giacca e prese un appunto veloce. «Non saprei» rispose serio. «Per me Krimisa o Krisma è là dove troviamo delle prove certe, inconfutabili. Nei prossimi giorni si vedrà cosa c'è qui sotto.» E invitò i suoi collaboratori a delimitare con dei picchetti l'area precisa in cui si sarebbe scavato.

L'indomani la mamma aveva preteso che il figlio andasse a scuola. «Dopo pranzo, se vuoi, potrai venire a trovarmi sul Rossarco.»

In classe le ore non passavano mai. Michelangelo sbuffava. A differenza degli altri maestri della scuola, il suo non puniva con le bacchettate sulle mani, era un uomo buono ma un po' noioso, spiegava di continuo e scriveva alla lavagna parole e segni incomprensibili che i bambini copiavano distratti sul quaderno. Michelangelo alzò la mano e, dopo cinque minuti, ebbe finalmente il permesso di fare una domanda: «Signor maestro, potete spiegarmi che cos'è la Mangiagreca?».

I compagni lo guardarono in cagnesco per aver disturbato il loro dormiveglia mattutino. Il signor maestro sorrise, un po' spiazzato: «Si dice Magna Grecia, asinello. È l'insieme delle colonie che gli antichi greci fondarono qui da noi, nei posti più belli e fertili. Ne abbiamo parlato l'anno scorso, si vede che quel giorno eri sulle nuvole a cercare la tua rondine albina».

I suoi compagni scoppiarono a ridere divertiti.

Dalla vergogna Michelangelo ritirò il collo nelle spalle come una tartaruga, si pentì di aver scritto della rondine bianca in un tema e non parlò più con nessuno per tutta la mattinata.

Arrivato a casa, anziché sedersi a mangiare con la nonna e Ninabella, prese un pezzo di pane e dei fichi secchi. «La mamma mi aspetta» disse, e uscì di corsa masticando con gusto.

Sul Rossarco si sentiva un ticchettio monotono di picconi e zappette, un raschiare di pale e cazzuole appuntite, che l'eco dei burroni decuplicava e il vento disperdeva fino al mare.

Michelangelo salutò la mamma che zappava l'orto dietro la casella; poi si avvicinò emozionato al professor Orsi che scavava in mezzo a una squadra di operai. Lavoravano in silenzio, quasi trattenendo il respiro: erano dodici, tutti uomini, tra cui due ragazzi poco più grandi di Michelangelo. Nessuno gli dava retta. Allora il bambino salì sull'ulivo gigante. Si sedette comodo su due robusti rami a forcella, quasi in cima, e cominciò a osservare attentamente il lavoro degli uomini e della mamma. Quando si stufava, si metteva a pensare indisturbato ai fatti suoi o ammirava il cielo sopra di lui alla ricerca della rìndina janca, ripromettendosi che caso mai l'avesse vista ne avrebbe parlato solo con il nonno.

Ogni tanto qualcuno gridava: «Professore!». Paolo Orsi interrompeva il suo lavoro e andava a controllare. La ruga profonda che gli tagliava la fronte in verticale si chiudeva e si apriva a ogni passo, a ogni pensiero. Si sentiva poi il suo vocione corrucciato: «Non è niente di speciale. Continua a scavare più in là e sta' attento!». Finché spostò le lenti sulla punta del naso e gli occhi gli si illuminarono. Uno dei due ragazzi aveva trovato un pezzo di terracotta che pareva interessante. Il professore si mise a scavare nello stesso punto e in breve portò alla luce altri cinque o sei frammenti. Disse al ragazzo: «Continua a scavare come ho fatto io, con attenzione». Poi si spostò tra l'ulivo e la casella, dove aveva preparato un piccolo spazio pulito per appoggiarvi i reperti. Si sedette su una grande pietra, spazzolò per bene i singoli frammenti, prese il suo taccuino e si mise a scrivere velocemente.

Quando il bambino scese dall'albero, il sole stava tramontando dietro i monti della Sila e il cielo era rosso come gli spicchi della collina rivestiti di sulla. La mamma lo aveva chiamato perché era tardi e dovevano tornare a casa prima che li cogliesse il buio.

Michelangelo si fermò un momento accanto al professor Orsi. Diede un'occhiata curiosa ai pezzetti di terracotta e al professore che ne girava uno tra le mani. «Allora noi andiamo» disse educato. «Arrivederci.»

Paolo Orsi sembrò risvegliarsi da un sogno bellissimo. Gli sorrise, scarmigliandogli i capelli con la mano libera. «È la seconda volta che ti vedo appollaiato sull'ulivo a guardare in giro con attenzione. Non ti sfugge niente, eh, piccolo custode della collina.» E lo salutò con un arrivederci e una stretta di mano vigorosa.

11

Per la notte Paolo Orsi e i suoi collaboratori si arrangiavano a dormire tra due coperte, nella casella. Tutti gli operai che abitavano a Cirò e alla Marina preferivano pernottare a casa e ritornare all'alba, chi a piedi, chi a dorso di mulo. Perciò non erano state predisposte delle tende, come avveniva di solito nei siti fuori mano simili a quello. In fondo la casella era più comoda e più sicura di una tenda. Era stata costruita alla fine dell'Ottocento dal nonno di Arturo con le pietre della fiumara, mentre le tegole per il tetto e i mattoni per il pavimento provenivano dalla fornace del Pigàdo. Per renderla più igienica, Paolo Orsi aveva fatto levare la legna e la paglia, costringendo a scappare decine di topi e un esercito di insetti di ogni razza. Abituato a dormire addirittura nelle tombe vuote per ripararsi dal vento e dal freddo, al professore l'ampia casella dal pavimento in cotto doveva sembrare un lusso. E, onesto com'era, aveva promesso di aggiungere un'altra piccola somma di denaro a quella che spettava alla signora per gli scavi.

«Che galantòmo!» aveva commentato Sofia, che era andata sul Rossarco per non lasciare sola la nuora in mezzo a tutti quegli uomini. E appena aveva scoperto che Paolo Orsi, oltre a essere professore, direttore, *arcologo* e chissà cos'altro, era pure senatore del Regno, ne aveva approfittato per raccontargli del figlio Arcuri Arturo, mandato ingiustamente al confino, delle due richieste di grazia al vento, e se lui insomma, il senatore, poteva darle una mano per farlo tornare a casa, il suo Arturino.

Il professore era stato sincero: «Mi dispiace, signora, ma queste sono cose più grandi di me. Non vi voglio illudere. Tra l'altro sono diventato senatore per meriti culturali, come politico non conto nulla». E aveva ripreso a lavorare il più lontano possibile dalla signora Sofia, con l'imbarazzo che gli si leggeva in faccia.

Questo raccontò nonna Sofia durante la cena e non sembrava delusa: «Io non ne conosco galantòmini accussì al paese nostro. Quello è uno che non si vanta e fa i fatti».

Quando Michelangelo ritornò in collina, quattro giorni dopo, era diluviato tutta la notte fino alla tarda mattinata. All'improvviso il vento aveva spazzato via le nuvole nere ed era comparso un tiepido sole primaverile che in poco tempo aveva inondato di luce il cielo, il mare e le chiome degli alberi. Qua e là s'intravedevano grossi blocchi squadrati, che la pioggia aveva ripulito del terriccio.

Paolo Orsi diede ai singoli operai delle indicazioni precise su dove scavare, avendo notato che il terreno in certi punti pareva morbido e spugnoso.

Michelangelo non sapeva come dirglielo, poi si fece coraggio: «Professò, posso aiutare anch'io? So usare bene pico e pala, me l'ha imparato papà quand'ero piccolo!».

Il professore gli scompigliò di nuovo i capelli. «Questo non è un gioco, caro Michelangelo. E se non mi sbaglio tu hai già un compito impegnativo: sei il custode della collina, e il custode è più importante di uno scavatore, più importante di un archeologo come me: conserva la memoria di un luogo, protegge dalle grinfie dei furbi ciò che sta dentro e ciò che sta fuori terra, ne difende la dignità.»

Il bambino ci rimase male. Lì per lì le belle parole del professore non lo consolarono, forse non le aveva capite tanto bene. Avrebbe voluto salire sull'ulivo gigante per non mostrare agli altri il suo disappunto, ma la chioma era intrisa d'acqua piovana; allora andò ad aiutare la mamma nell'orto. Assieme prepararono un rettangolo di terreno ben letamato e bagnato, poi con un punteruolo di legno fecero dei buchi a distanza di un palmo l'uno dall'altro e cominciarono a radicarvi piantine tenere di peperoni, peperoncini, pomodori e melanzane.

Non avevano ancora finito quando echeggiò più insistente di prima il solito richiamo a ripetizione: «Professore! Professore! Professò...».

Michelangelo corse nella zona dei ritrovamenti. Paolo Orsi non sapeva come dividersi, balzava da uno scavo a quello successivo affondando i suoi stivaloni nella melma. Però aveva capito subito: «Finalmente!» esclamò. «Penso che abbiamo scoperto dei sepolcri molto interessanti, forse la necropoli di Krimisa.» Era molto soddisfatto, anche se si sforzava di nascondere l'euforia sotto il cappello e gli occhiali.

Dopo un andirivieni forsennato, furono i suoi due collaboratori che cancellarono ogni speranza ad alta voce: «Ma questo sepolcro è vuoto!», «E pure questo è stato spogliato interamente!».

Il professor Orsi portò le mani sporche di terra sul pizzetto, quasi volesse strapparselo dalla rabbia, e si mise a urlare furibondo: «Qualcuno ci ha fatto le scarpe! Hanno scavato prima di noi, hanno violato le tombe e questo posto sacro. Che gente ignorante, avida, cafona! Non è la prima volta che mi succede qua in Calabria e in Sicilia. È una corsa contro il tempo, e questi mascalzoni hanno il vantaggio che sono privi di scrupoli, non seguono le leggi, sono delinquenti e basta!». Poi se la prese con Lina che era accorsa impaurita a riprendersi il figlio. «Signora, dica la verità: lei lo sapeva che qualcuno è stato qui e ha saccheggiato tutto furiosamente, senza alcun rispetto per i morti e i vivi!»

La donna non si lasciò intimorire. Anche lei era abituata a gridare per essere ascoltata: «Professò, glielo giuro sulla testa di figliuma che non ne sapevo niente. Forse lo hanno fatto di notte o nel passato, quando il Rossarco era di tutti e di nessuno. E marìtma e il sòcero che stavano sempre qua non mi hanno mai parlato di questi scavi. Noi ogni tanto, zappando, abbiamo trovato qualche pezzetto di terracotta e una volta, tant'anni fa, una piccola crozza di femmina. Basta. Solo questo».

«E dove ce l'avete ora questa testa di donna? La possiamo vedere?» chiese il professore con il suo vocione arrabbiato.

«Era abbastanza bella, ma a noi che serviva tenerla sul tigaretto del camino? L'ha venduta mio sòcero a due compratori forestieri che passano di casa in casa a cercare roba anticaria.»

«Sono quei due furfanti tedeschi di Marz e Jacobs. Comprano a quattro soldi dai villici che trovano di tutto mentre zappano, e poi rivendono a caro prezzo ai turisti facoltosi nel loro negozio a Taormina.»

Fu il suo disegnatore che riuscì a calmarlo: «Professore, in questo versante ci saranno decine di sepolcri. Non credo che quei delinquenti li abbiano frugati tutti».

«Sì, è vero. La campagna durerà ancora quattro giorni, come programmato. Hai ragione, Rosario: qualche sepolcro intatto l'avranno lasciato di sicuro.»

Trovarono gli scheletri due giorni dopo, di pomeriggio, avviluppati al terreno e alle pietre da un intrico di radici robuste. Erano uno sopra l'altro, in un incastro caotico di ossa che non fu semplice districare senza spezzarle. Rosario Carta gongolava: «Avete visto, professore, che avevo ragione?».

Paolo Orsi si accorse subito dei capelli che ricoprivano a

chiazze i due crani dalla bocca spalancata piena di denti e delle ossa spappolate all'altezza dell'ombelico. «Questi due uomini, presumibilmente giovani» disse, «non appartengono all'antica Krimisa ma ai nostri tempi. Sono stati uccisi di sicuro a colpi di arma da fuoco e buttati in un sepolcro vuoto, che poi è stato riempito di pietre e terra. Qualcuno di voi vada a chiamare i carabinieri.»

Lina era sbiancata e il figlio tremava aggrappato alla sua gonna. Il professore proseguì: «In quest'area non possiamo più scavare, almeno finché dureranno le indagini. Continueremo il prossimo anno, se mi finanziano, come spero, un'altra campagna di scavi». Lanciò un ultimo sguardo pietoso ai due scheletri e disse ai suoi uomini: «Copriteli con una coperta! Appena arrivano i carabinieri andiamo via. Tutti i reperti antichi li sistemiamo in una cassa e li portiamo al museo di Reggio».

Mentre si recava nella casella a preparare le sue cose, guardò Michelangelo fisso negli occhi, uno sguardo intenso, enigmatico. Poi si rivolse al mare. Le ultime parole che pronunciò furono sarcastiche: «Altro che necropoli della mitica e mite Krimisa, questa collina è un sepolcro di segreti sanguinosi!».

12

"Cara muglièra Lina e cari figli Michelangelo e Sofia Antonia, io qua sto bene e spero altrettanto di voi tutti. L'isola è bella assai. Vi penso notte e giorno. Baci pure a mamma e papà. Vostro Arturo."

Questo era diventato il padre: una cartolina postale che ne comprovava l'esistenza e che ogni volta glissava con lievi variazioni sulla lontananza dolorosa.

A Michelangelo mancava il padre, il suo coraggio, la sua spertizza, anche se davanti agli altri non lo ammetteva mai. Ci fosse mio papà, pensava, farebbe di tutto per scoprire cos'è successo sulla nostra collina. Invece, in famiglia e fuori, nessuno mostrava un pizzico di interesse alla vicenda, né voleva sentirne parlare, come se non ne valesse la pena, come se fossero state dissepellite due carcasse di animali e non due scheletri di cristiani.

All'inizio Michelangelo esprimeva la sua delusione inarcando le sopracciglia e lanciando in giro sguardi feroci.

«Quando t'appanni così, con l'ombre intra l'occhi, sei tutto figlio di pàtreta: volete cancarijarvi il mondo con una sola morsicata» gli diceva nonna Sofia. «Un po' di pacenza ci vuole, in ogni cosa della vita.» Poi lo abbracciava a tradimento. «Sei diventato altissimo, un vero giovinotto: è ora che ti trovi una bella zita» gli sussurrava all'orecchio per farlo sorridere.

Se davanti c'erano Ninabella e la madre, Michelangelo si liberava in un lampo della morsa e raggiungeva il nonno nella stanza da letto. Almeno lui lo ascoltava senza fiatare, gli occhi persi nel mare della sua memoria vaporosa. E, in quel mare, Michelangelo si sfogava a lanciare i suoi sguardi feroci e le sue lamentele. Aveva undici anni, si sentiva già grande, ma non lo era abbastanza per capire che la gente, dalle sue parti, dimentica in fretta, avendo problemi più gravi di sopravvivenza quotidiana a cui pensare. E, a dirla tutta, non erano i primi scheletri che venivano riesumati nei dintorni e non sarebbero stati gli ultimi.

Come se non bastasse, in quei mesi erano morti tre minatori, figli di ex compagni di nonno Alberto, schiacciati da una montagna di zolfo, nella miniera tra Strongoli e San Nicola. Due erano di Spillace. Le urla strazianti delle madri e delle mogli, all'arrivo in paese delle bare con i cadaveri irriconoscibili, accelerarono l'indifferenza generale verso gli scheletri anonimi del Rossarco. E a parte i carabinieri che continuavano a indagare con discrezione, ben presto i «segreti sanguinosi» furono rimossi del tutto.

Non fu semplice stabilire l'identità dei due morti, perché in quegli anni erano spariti dalla circolazione diversi giovani, molti dei quali emigrati clandestinamente nella Merica. Per fortuna, in un controllo incrociato tra caserme di carabinieri, fu scoperto che era stata denunciata negli stessi giorni di giugno del 1902 la scomparsa di un giovane di Cirò e di uno di Spillace. Entrambi avevano pendenze penali in corso, furti di bestiame e risse varie, uno dei due era stato in carcere per aver accoltellato un uomo. Non erano, insomma, degli stinchi di santo. Da qui la certezza che si fosse trattato di un regolamento di conti nel cerchio della delinquenza locale.

Per scrupolo erano stati interrogati anche i familiari di Michelangelo, perché gli scheletri erano stati rinvenuti sul Rossarco, ma nemmeno i parenti degli assassinati avevano minimamente sospettato un coinvolgimento, sia pure indiretto, degli Arcuri. Così il caso era stato chiuso nell'arco di tre o quattro mesi. Una bella pietra tombale sopra, nei rispettivi cimiteri dei due morti, e amen.

L'unico che non si capacitava dell'accaduto era Michelangelo: «Perché li hanno uccisi o trasportati morti proprio sulla nostra collina?». In fondo non gliene fregava niente dei due delinquenti mort'ammazzati, lo infastidiva il dispetto che gli assassini avevano fatto alla sua famiglia e non riusciva a dimenticare la condanna sarcastica del professor Orsi: «Questa collina è un sepolcro di segreti sanguinosi». La loro terra non si meritava tutto questo fango.

Fu la madre a farlo ragionare dopo mesi di ossessionanti perché. «Ché parli sempre a vanvera e chiedi perché a questo e a quello? Non ci arrivi da solo? Perché la nostra collina è isolata, ecco perché; perché è l'unica che non appartiene a don Lico e se li seppellivano nei suoi terreni, lui poi si vendicava di sicuro. Capito? Mutucitto devi stare, ché campi cent'anni in buona salute!»

«E perché non li hanno buttati in mare? Il mare è di tutti.»

«Ancora? Sei proprio stufùso, Michè, una crùcia pesante, sei. Il mare sputa ogni cosa indietro e poi è pieno di reti a strascico per la pesca. Ecco perché. In quel pizzo fuori mano, se non veniva quel professore a scavare, non li trovavano né mo' né mai.»

«Sì, però...»

«Basta! Se aggiungi un'altra parola t'affuco con le mani mie!»

Erano nella vigna. Michelangelo si protesse il collo con le mani e, ridendo, corse in direzione della casella. Lina riprese a potare le viti con abilità. In quei giorni il figlio l'aiutava quasi ogni pomeriggio, i compiti li faceva la sera al lume di candela.

Arrivò con il barilotto dell'acqua e lo offrì alla madre: «Bevi anche tu ché hai le labbra secche» disse premuroso.

Lei gli sorrise ironica: «Fai il bravo per non farti affucare, vero?».

In quel momento Michelangelo sentì un fruscio scomposto alle sue spalle. Si girò di scatto e vide un'ombra risucchiata in un baleno dal folto della boscaglia. Le chiome dei lecci tremolarono per qualche secondo.

«Hai sentito, ma'? Mi è sembrato un uomo che scappava nel bosco. Forse ci stava spiando.»

«No, gioia, credimi: nessuna spia né animale selvatico, era solo il vento.»

Vento

Il vento non smette mai di fiatare sulla collina, sale dalle timpe, dalla fiumara o dal mare, scuote le cime degli alberi, accarezza il cucuzzolo giorno e notte, ruzzola lungo i pendii come un bambino felice, ma quando si arrabbia sono guai: vortica risucchiando ogni cosa, polvere, rametti spezzati, foglie, spine e breccia, che scaglia tutt'intorno con la furia di un vulcano impazzito.

«Se c'è una cosa che qui non manca è il vento» ha detto l'uomo che si era presentato a noi come ingegnere di una società del Nord specializzata in pale eoliche. «È il vostro oro trasparente, la vostra ricchezza, se lo sfruttate a dovere. Siete fortunati, signori Arcuri, la vostra collina è stata inserita dai nostri tecnici nel progetto del parco di trenta aerogeneratori che sorgerà in questa zona.»

Mio padre ascoltava l'ingegnere con una faccia disgustata, pareva sul punto di vomitargli sui capelli lunghi che «l'oro trasparente» schiaffeggiava a destra e a manca. Che cazzo stai dicendo, chiudi quella bocca e vattene, avrebbe voluto dirgli. Per mio padre il vento sulla collina era un amico ribelle e onnipresente, ne apprezzava la generosità e sapeva come prenderlo nelle intemperanze: per resistere al vento più impetuoso bisogna assecondarlo.

«I lavori cominciano entro l'estate. Abbiamo tutte le autorizzazioni necessarie. Gli altri privati e i comuni dell'area interessata sono stati ben lieti di aderire. Manca solo la vostra firma.» L'ingegnere aveva un simpatico accento romagnolo. Era arrivato sul Rossarco in compagnia di due giovani, un geometra di Spillace che conoscevamo bene e un altro forestiero sconosciuto che guidava il fuoristrada da cui erano scesi poco prima. Tutt'e tre guardavano mio padre, ma lui se ne stava zitto.

«Da coltivatore agricolo diventerete coltivatore di vento e di energia pulita, maestro Arcuri, e in più ci guadagnate circa ottantamila euro a pala, cedendoci il diritto di superficie e di locazione per ventinove anni. La società con cui lavoriamo è seria e paga bene» ha detto con enfasi il geometra di Spillace.

«Non m'interessano i vostri soldi» ha risposto finalmente mio padre. «Quest'area è sottoposta a vincolo paesaggistico e ambientale. Qua, se scavate, rovinate il mondo, lo capite o no?» Era rabbioso.

L'ingegnere forestiero non ha compreso la metafora, il geometra nostrano, sì: «Non roviniamo affatto la vostra campagna, la collina è grande, vi si potrebbero installare quattro torri, due sui crinali e due in cima. Noi vi chiediamo il suolo per due, non vogliamo essere troppo invasivi. Professò, guardate il progetto del parco e diteglielo voi a vostro padre che il futuro è questo».

«L'ho già guardato io il progetto, mille volte, e vi ho detto cosa ne penso. Il Rossarco sarà di mio figlio dopo che muoio, al momento decido io» puntualizzò mio padre.

Dunque, quei tre avevano già parlato con lui. Quel giorno di vigilia della Pasqua erano ritornati quassù perché sapevano che vi avrebbero trovato anche me e volevano il mio appoggio.

Ho dato un'occhiata al progetto: il parco eolico sembrava un paesaggio di dune meravigliose sullo sfondo del mare, con trenta palme imponenti che proiettavano le loro ombre sul terreno. Una era collocata al posto dell'ulivo gigante, l'altra quasi all'imbocco della mulattiera che entrava nel bosco di Tripepi.

«Mio padre è stato chiarissimo e io sono d'accordo con lui» ho detto risoluto.

«Professò, scusatemi, mi state deludendo. Posso capire vostro padre che è un uomo all'antica, ma voi che vivete in un mondo progredito non dovreste parlare così. Il Nord Europa, la Germania, la Spagna, sono pieni di parchi eolici e non mi pare che siano meno ecologisti di noi» ha replicato il geometra, cercando con lo sguardo l'altro giovane che fino allora non aveva aperto bocca. In fondo era il ragionamento che avevo sentito fare da Simona quando attorno a Spillace avevamo visto spuntare come trifogli giganteschi le prime pale eoliche: «Non possiamo dire no a tutto. Le pale eoliche sono preferibili al petrolio e alle centrali nucleari».

«Che c'entra, anch'io sono per l'energia pulita; però bisogna valutare l'impatto sul paesaggio, vedere dove le piazzi queste torri alte ottanta metri» avevo risposto a lei e ho risposto al geometra.

«Le piazzi in una zona ricca di vento tipo questa e...» stava dicendo l'ingegnere forestiero.

«Allora le schiaffi nel buco del suo culo, se è capace, ma qui no. Voi non avete nessuna certificazione di incidenza ambientale o avete certificati falsi, come si dice in giro. Non volete il bene della nostra terra, volete solo arricchirvi sulla nostra pelle» lo ha interrotto mio padre urlando.

«Non si permetta di parlarmi così e di fare queste illazioni, signor Arcuri, altrimenti la querelo...»

«Mi quereli, faccia quello che vuole, purché se ne vada fuori dai coglioni e non metta più piede quassù, altrimenti la querelo io.» Suo padre Arturo gli avrebbe risposto "altrimenti vi sparo in testa", ma la reazione contro un'ingiustizia palese, la violenza di fondo, erano le stesse.

L'ingegnere e il geometra sono rimasti basiti e senza più parole. Solo allora è intervenuto l'altro giovane: «Andiamo, dài, andiamo. Ve lo avevo detto che era un viaggio sprecato: quest'uomo non ragiona con le buone».

Il fuoristrada ha sollevato una nuvola di polvere ed è sparito alla nostra vista non appena ha imboccato la discesa.

Per un po' siamo rimasti in silenzio. Il vento fischiava allegro disperdendo lo stridio delle gomme sulla strada sterrata. In quel momento eravamo soddisfatti di noi, delle nostre risposte, l'amarezza sarebbe sopraggiunta più tardi, nel ripensare alla storia del vento.

Poi mio padre ha detto: «Queste società mi sembrano peggio di don Lico, hanno tante teste nascoste sotto una caterva di sigle; è difficile combatterle perché non le vedi in faccia. E quelli che mandano in giro sono l'ultimo bottone della vrachètta. Comunque pure io sono meno ingenuo di mio padre e inoltre ho te che mi darai una mano, se occorre, mentre lui ha combattuto da solo contro i suoi mulini a vento. Io ero troppo piccolo, allora, come potevo aiutarlo? Giocavo a fare il grande per non piangere».

13

Da quando il padre era partito per il confino e le energie del nonno si stavano prosciugando come una fiumara d'estate, Michelangelo diventava sempre più responsabile e ubbidiente.

«Ora sei tu l'ometto di casa» gli diceva la madre, e nonna Sofia ribadiva lo stesso concetto con altre parole: «Sei stralucente e bello quanto il sole, tuo padre da giovinotto spiccicato, e in più serioso, senza malidee nella crozza, e non ti tiri mai indietro se si tratta di aiutare la famiglia». In particolare la nonna apprezzava la sua fatica in campagna non appena poteva e, ancora di più, la compagnia che teneva al nonno e la pazienza che aveva con la sorella, la meno rassegnata all'assenza del padre.

Ninabella era insistente e ostinata, una vera capatosta come tutti gli Arcuri. «Voglio venire anch'io dalla mamma!» continuava a ripetere certi giorni tiepidi di primavera e la smetteva quando il fratello, esausto, l'accontentava: «Va bene, ti ci porto, ma è l'ultima volta. E guai a te se ti lamenti che sei stanca».

Partivano dal paese dopo la scuola, mangiando lungo il tragitto un pezzo di pane e fichi secchi. Per orgoglio Ninabella non apriva bocca, al massimo sbuffava o si liberava con gesti rabbiosi dai moscerini attratti dal suo sudore: non si sarebbe lamentata nemmeno sotto tortura.

In poco più di un'ora erano sul Rossarco.

Michelangelo aiutava la madre a roncare gli ulivi; la sorella si sedeva su una pietra o si inginocchiava sull'erba e guardava il mare con l'incantata concentrazione di quando disegnava. Anzi, pareva che in quei momenti stesse disegnando con gli occhi. Li muoveva rapidi a destra e a manca, fino all'orizzonte, soffermandosi a tratti sulle barche dei pescatori, su un'onda schiumeggiante, sul faro che da lassù pareva conficcato nell'acqua. «Che bello il mare! Voglio diventare pescatora» diceva quando sentiva la presenza del fratello alle spalle, «e arrivare con la mia barca fino all'isola dove sta papà.»

Il fratello sorrideva: «Ninabè, tu sei paccia di capa». Allora lei lo afferrava per un braccio, gli si avvinghiava addosso con una stretta sorprendente e lo spingeva verso la discesa: «Il paccio sei tu, non io, tu sei paccio, e il nonno».

«No, no, fermati, fermati» gridava Michelangelo, e intanto rotolavano abbracciati lungo il pendio del Piloru tappezzato di sulla, rotolavano ridendo e urlando, le teste sollevate dal terreno, i capelli pieni di vento, i corpi immersi nelle onde di foglie e fiori rosso porpora.

Le grida arrivavano alla madre che accorreva preoccupata: «Che figli ciòti che ho. M'avete fatto spagnàre. Tornate subito su!».

I figli smettevano di colpo e, ubbidienti e sudati, si rincorrevano in salita. Poco dopo, appena la madre e Michelangelo si allontanavano per lavorare, Ninabella si lasciava cadere nel tappeto di sulla, ruzzolando e facendo capriole fino all'ora del rientro a casa. Come una paccia beata.

Un pomeriggio Ninabella stava andando a prendere un secchio d'acqua nella fiumara che scorreva a pochi passi dall'orto. All'improvviso lanciò un urlo da paccia vera, lungo e spaventoso. Il fratello buttò la zappetta sulle piantine di peperone e in un lampo fu da lei.

«Guarda, Michè, guarda là.»

All'inizio Michelangelo rimase impietrito, non sapeva che fare e che dire. La sorella aveva ripreso a gridare tenendo le mani strette sulle guance e saltellando sul posto, incapace di allontanarsi da lì o di chiudere gli occhi per non vedere.

Al di là della fiumara, sul costone dove cominciava il fondo chiamato Chinigò, il terreno nudo brulicava di serpenti: erano decine, serpenti di ogni tipo e grandezza, che uscivano dal nulla e si acciambellavano sugli altri fino a formare un cerchio, una ruota, un mucchio informe e mobile, poi sgusciavano fuori a casaccio e strisciavano su e giù, instancabili, velocissimi, vibrando come sciabole le loro lingue biforcute, lanciando in coro un sibilo continuo. Pareva che in quel luogo si fossero dati appuntamento tutti i serpenti delle colline circostanti.

«Andiamo via di qua» disse Michelangelo alla sorella e quasi la spinse verso la mulattiera alle loro spalle.

Ninabella cominciò a correre in direzione della madre. Michelangelo ripassò dall'orto a prendere la zappetta e, mentre si chinava, lanciò un'ultima occhiata ai serpenti e vide che s'infilavano nelle fessure, si sfioravano e si spingevano alla ricerca di una via di fuga, alcuni scivolavano con un tonfo nell'acqua sottostante e infine sparivano dalla parete come se una mano invisibile li stesse cancellando tutti insieme.

Anziché tranquillizzarli e dare ai figli una spiegazione plausibile dell'accaduto, la madre li redarguì con un'asprezza esagerata, quasi fosse colpa loro: «Ve l'ho detto mille volte di stare attenti, ché qua si nascondono vìpire e pericoli dappertutto, voi niente, avete la crozza dura di vostro padre!».

«Stavano dall'altro pizzo della fiumara, ohi ma', non da noi: erano un abisso di serpe e serpicelli, incontabili, tutti a muoversi come pacci sopra il costone senza piante né erbe, e dopo sono spariti, puff, così» le disse il figlio mentre Ninabella la fissava ancora impaurita.

La madre rispose con un'ironia sprezzante: «Sì, un abisso, macàri un milione di serpe. Ecché, c'era una festa sulla fiumara, scorreva vino? Abballavano macàri la tarantella ubriache come voi?».

«Lo giuro anch'io, ma', lo giuro su sant'Antonio, ch'erano un abisso di serpe e vìpire. Le abbiamo viste in due, siamo tutt'e due cecàti?» provò a persuaderla la figlia.

«Basta, venite ad aiutarmi nella vigna. Lì non ci sono serpe né vìpire e se escono fuori gli taglio la crozza con la mia zappa.»

Ninabella tenne il muso alla madre per tutta la giornata. Non sopportava che si mettesse in dubbio ciò che aveva visto con i propri occhi.

Per essere più credibile, a casa provò a disegnare l'accaduto. Riempì una pagina del suo quaderno con serpenti sospesi nel vuoto che parevano una miriade di anguille volanti sopra l'acqua della fiumara. Quel disegno, involontariamente surreale, anziché suscitare paura provocò il sorriso sarcastico della madre e l'indifferenza del nonno, che con il suo sguardo svagato trapassò le serpanguille senza vederle. Invece la nonna le scambiò per diabolici vermi giganti e, un paio, per mostruosi uccelli senza ali, preludio di un futuro senza pace, tant'è che si fece il segno della croce sputando dalla finestra aperta in direzione del mare: «Ttù Ttù, che Dio ce ne scansi e liberi!».

Per fortuna Ninabella, a differenza del fratello, riusciva a liberarsi in fretta del rancore rugginoso nei confronti degli adulti; come lui, però, non dimenticava mai le presunte offese, le parole storte, i sogni a occhi aperti. Rimuginava e frullava tutto dentro, poi lo archiviava in forma di disegno.

Nei giorni seguenti fu lei a scuotere il nonno dal torpore mortale in cui era sprofondato dalla partenza del figlio Arturo. Prima provò con le parole, sotto lo sguardo incredulo del fratello: «Dài, nonno, non hai niente. Scendi dal letto ed esci di casa: c'è un sole che spacca le pietre, fa più caldo fuori che qua dentro. Ti siedi su una seggiarella e io ti faccio un bel ritratto. Me lo tengo per ricordo quando muori».

Il nonno la fissava turbato, come se non la riconoscesse o considerasse minacciosa la richiesta. Disse con una voce d'oltretomba: «Io sono già morto».

Michelangelo aggrottò le sopracciglia preoccupato.

«Tutti siamo morti» aggiunse il vecchio.

La bambina scoppiò a ridere: «Nonno, non dire ciotìe. I morti non parlano».

«I morti parlano più dei vivi. E basta.»

Allora Ninabella gli diede un pizzicotto sul braccio, il vecchio fece: «Ahi, sei impaccisciùta?» e lei rispose prontamente: «I morti non sentono dolore». Gli buttò le coperte per terra e chiese al fratello di darle una mano.

Insieme, con una pazienza infinita, aiutarono il nonno a scendere dal letto, a vestirsi e a uscire nel vicolo. Poi lo fecero sedere su una sedia bassa e Ninabella cominciò a disegnare il cappellaccio a larghe tese, i capelli lanosi e bianchi come la barba lunga, gli occhi incavati dal colore dell'acqua torbida, il gilè aperto sulla camicia di lino abbottonata fino al collo. Disegnava con rapidità, seduta davanti al nonno immobile, il quaderno appoggiato sulle ginocchia.

Quando finì gli ultimi ritocchi, ammirò a lungo il suo disegno. Poi, soddisfatta, lo mostrò al fratello.

«Che brutto!» commentò Michelangelo senza mezzi termini.

Ninabella si difese con grinta: «Non è brutto, è uguale al nonno. Lui è così e tu sei cecàto, se non lo vedi!».

«Il nonno non ha questo naso a bietola e manco questi occhi da cane che piange.»

Il vecchio afferrò il quaderno e lo avvicinò al viso come se vi si volesse specchiare: «Cristo santo, non immaginavo che mi ero combinato così straniòso» disse. «Davvero brutto sono, invece il disegno è fatto più che bene, mi piace abbastante. Brava Ninabella.» Il primo discorso lucido dopo tanto tempo.

14

Gli acciacchi non gli erano spariti del tutto, il nonno camminava aiutandosi con il bastone, si sedeva cauto e si alzava lentamente.

«Comunque può più l'affetto che tante medicine» diceva la moglie in vena di smancerie e gratitudine: da quando Ninabella lo aveva stanato dal letto, suo marito non stava più «mort'ammazzato in casa», ma usciva nel vicolo o si faceva accompagnare in piazza dal nipote. Si sedeva sul muretto in mezzo a una fila di vecchi contadini, che erano contenti di rivederlo dopo tanto tempo, dicevano sinceri, «pensavamo che stavi più in là che in qua, come i tuoi compagni minatori, come le mosche al principio dell'inverno»; poi interveniva pure lui a voce altissima perché quasi tutti avevano problemi di udito. Le loro voci s'intrecciavano confuse, per Michelangelo era difficile seguirne i discorsi, pareva litigassero furiosamente.

I vecchi però si capivano benissimo, gli occhietti vispi sulle bocche sdentate degli altri, il sole di sbieco sulle facce rugose e arzille. Di rado parlavano del passato, notava il ragazzo; il più delle volte esponevano i loro progetti futuri, legati per lo più alla campagna.

Il nonno diceva che in autunno, sul pendìno del Piloru, avrebbe piantato due o tre noci, qualche pero, alcuni filari di "coglioni di gallo", un'uva bianca da tavola, detta così per la forma oblunga dei chicchi, e fichi nivurelli a volontà.

Bonuvenutu tra i vivi, nonnò, commentava tra sé il nipote. E gli altri, senza un pizzico di meraviglia, sconsigliavano i peri e i coglioni di gallo, chissà perché, e suggerivano piante di nucipersica, ciliegi, gelsi, melograni e naturalmente un gran vigneto di gaglioppo ché lì è il terreno ideale, baciato dal sole e dal venticello frizzante di mare, ché da lì esce un vino con i contracazzi, il vino più antico del mondo, compà, da resuscitare i morti, come dicono i cirotani che di vino ne capiscono più di noi. Su una cosa erano tutti d'accordo: «Fai bene, compà, a piantare alberi dalle radici muscolose, altrimenti rischi che una frana bastarda ti porta il tuo bel terreno a mare e buonanotte al Rossarco».

Michelangelo lasciava il nonno in quella compagnia confusionaria e vitale, e se ne tornava a casa per studiare. Aveva gli esami, alla fine di quell'anno scolastico, e non voleva fare brutta figura davanti al signor maestro Tavella che lo elogiava di continuo e lo riteneva capace di proseguire gli studi superiori, l'unico tra i suoi alunni, uno dei pochi dell'intera scuola di Spillace.

Dopo la figuraccia con la Magna Grecia, confusa con qualcosa che si mangia, in classe stava più attento, a casa leggeva i libri che gli prestava il signor maestro, approfondiva gli argomenti che lo appassionavano, soprattutto quelli storici e scientifici, ed era uno dei pochi maschi, se non l'unico, a svolgere i compiti.

Conclusa la scuola elementare, il maestro Tavella lo aveva convinto a frequentare un anno di avviamento professionale, pur non essendo quello l'obiettivo che si era prefisso per il suo alunno migliore. Era un modo per tenerlo ancora a scuola e, con il suo aiuto costante, prepararlo idoneamente all'esame di ammissione all'istituto magistrale. E quando lo ritenne pronto per il salto, passò da casa Arcuri per parlarne con i familiari.

«Michelangelo è sveglio e preparato» disse con convinzione. «Inoltre ha una gran forza di volontà, è curioso di sapere, di apprendere, sarebbe un peccato mortale non farlo studiare. Si diplomano porci e ciucci, figli di papà pieni di vizi e di soldi, lui ci riuscirebbe a occhi chiusi.»

La madre era lusingata del giudizio, sorrideva e continuava a schiarirsi la gola senza avere il coraggio di aprire bocca. Parlò invece nonna Sofia: «Signor maestro, voi siete la persona più brava e sperta che abbiamo nel nostro paese di 'gnoranti e vìpire. Non avete imbidia, voi. Però per addiventare studiato ci vuole la pila che noi teniamo a malappena per campare».

«Capisco, donna Sofì, tuttavia un sacrificio per questo ragazzo lo dobbiamo fare e, se occorre, vi aiuto io. Lo sapete che non ho figli, gli procuro i libri che servono, gli darò lezioni private per l'esame di ammissione, insomma mi prenderò cura di Michelangelo come un padre, visto che il signor Arturo è ancora al confino, ingiustamente.»

La madre ebbe uno scatto di orgoglio: «Da quando nostro figlio è nato, marìtma ha giurato che lo avrebbe fatto studiare...».

Il maestro mosse le labbra a sorriso: «Allora, se pure il marito vostro aveva questa intenzione, è sì?».

Michelangelo era seduto davanti al focolare, accanto a Ninabella. Era rosso per il fuoco e le parole che stava sentendo. L'idea di continuare gli studi non lo aveva mai sfiorato seriamente, a Spillace erano tre o quattro le persone con un titolo di studio, comunque se il signor maestro insisteva e lo confermavano i genitori, lui non si sarebbe tirato indietro.

«Un po' di risparmi li abbiamo da parte, non so se abbasteranno per la scuola grande...» disse la madre più indecisa di prima.

«Sì, i soldi li troviamo, vi do la mia parola» intervenne il vecchio Alberto strabiliando i presenti. «Il guagnùno deve andare avanti, lo merita perché ha testa... ma solo se ci pensate voi, signor maestro, alle carte che ci vogliono e a dove mandarlo: di queste robe, nessuno a casa nostra ci capisce niente.»

«Questo è il minimo che posso fare, signor Arcuri. Ve lo prometto. E vedrete, quando Michelangelo vi tornerà maestro, come sarete tutti felici e soddisfatti.»

«Anch'io voglio studiare» s'intromise Ninabella a sorpresa e consegnò al maestro un quaderno dalla fodera nera. «Voglio fare la pittora...»

«Si dice pittrice, ciòta» la corresse Michelangelo con un sorriso buono per nascondere l'orgoglio che gli gonfiava il petto.

Il signor maestro sfogliò il quaderno visibilmente meravigliato. In ogni pagina c'era un disegno a matita che ritraeva i gatti e i cani del vicolo di casa, vasi di fiori, un cielo di anguille volanti, ricci semiaperti di castagne, mele, pere, uva, noci e i volti giovani del padre e degli zii copiati dal ritratto appeso in cucina.

«A disegno sono più brava di Michelangelo, quello non sa fare un cerchio con un bicchiere» disse Ninabella, gli occhietti che sprizzavano scintille boriose.

«Hai ragione, lui ha il nome di un grande artista ma non le tue capacità» le rispose il maestro. «Il mio voto è dieci e lode per ogni disegno. Tu sei già una brava pittrice. E quando avrai l'età giusta i tuoi genitori ti faranno studiare di sicuro. Quanto talento in questa famiglia!»

«Sì, noi abbiamo tutto e non abbiamo niente» affermò in maniera enigmatica il vecchio.

«Ma ora dobbiamo concentrarci su Michelangelo, che dal prossimo anno scolastico cambierà la sua e forse la vostra vita» concluse il signor maestro con entusiasmo.

Era un giorno di marzo, mancavano quattro mesi all'esame di ammissione alla nuova scuola, ma tutti i familiari, compresa Ninabella, erano convinti che il loro Michelangelo ce l'avrebbe fatta e, commossi e orgogliosi, lo abbracciarono, il futuro signor maestro Arcuri.

Il nonno mandò il ragazzo nel catoio a prendere due bottiglie di vino. Una la regalò al maestro e l'altra la stappò con le sue mani un po' malferme e ne versò un bicchiere pieno agli adulti e due dita mescolate con l'acqua ai nipoti. «Brindiamo» disse «alla salute del maestro Tavella e di Michelangelo, il primo studiato della nostra famiglia.» E, dimenticando l'età, scolò il vino fino all'ultimo goccio, in due sole sorsate.

Più tardi, quando il signor maestro se ne andò soddisfatto, il nonno chiamò Michelangelo in disparte e gli chiese: «Che giorno è oggi?».

«Giovedì 16 marzo.»

«Bene. Fra tre giorni, la domenica, dopo che le femmine vanno in chiesa, dobbiamo salire sul Rossarco. Io e te, da soli.»

Il nipote lo guardava inebetito e preoccupato, era troppo faticoso per il nonno scendere fino alla fiumara e poi arrampicarsi lassù, non ne capiva il motivo e riuscì a spiccicare appena un flebile «perché?».

«Perché ti devo mostrare una cosa urgente. Domenica, ho detto. Prima che le mie ultime forze se ne andranno a farsi fottere del tutto.»

15

La cosa più difficile per il nonno fu montare in groppa al mulo. Ci impiegò un quarto d'ora di sforzi e bestemmie, mentre il nipote lo spingeva sul basto, attento a non rompergli qualche osso. Scendere fu più semplice del previsto. Il nonno si ricordò di come faceva da bambino e si lasciò scivolare a pancia in giù lungo il dorso del mulo, tenendosi per la coda. Toccò terra con la leggerezza di un fuscello, si sistemò il cappellaccio sulle ventitré e diede pure una pacca all'animale, mandandolo a pascolare in libertà.

Erano oltre tre anni e mezzo che mancava dal Rossarco, disse, e Michelangelo, fatto un rapido calcolo mentale, pensò: più o meno da quando papà vive al confino nella sua bella isola lontana.

Il vecchio s'impossessò del paesaggio con un lungo respiro e un lento sguardo a raggiera. Aveva gli occhi lucidi. Sembrava uno di quegli emigranti mericani che tornavano a Spillace dopo molti anni, gli mancava solo che baciasse la terra sotto i suoi piedi e si mettesse a piangere.

Nonnò, ti prego, non farlo, avrebbe voluto suggerirgli Michelangelo, piuttosto dimmi perché siamo qua, non me lo hai ancora detto. Non sopportava le lacrime di commozione degli adulti, nemmeno delle femmine, nemmeno dei bambini, figuriamoci quelle del nonno. A sua memoria il padre non aveva mai pianto, né lui, Michelangelo, sapeva cosa fosse la fontana che vedeva aprirsi negli occhi dei suoi coetanei e di Ninabella.

Il nonno si ricompose, tornò burbero e un po' confuso: «Arturì, va' a prendere il pico e la pala nella casella». Michelangelo ubbidì, sorridendo. Non era la prima volta che il nonno lo scambiava per il padre.

Quando ritornò con gli attrezzi, il vecchio era appoggiato di schiena al tronco dell'ulivo gigante. Poi si mosse cominciando a contare a voce alta: «Uno due tre quattro...». Aveva il mare alle spalle, la Sila di fronte. Si fermò dopo nove passi, con la punta di un piede segnò una croce sulla polvere e diede un ordine perentorio al ragazzo: «Scava qua».

Il nipote afferrò il piccone e si mise a scavare con tutta la forza che aveva. In quel punto, sotto un sottile strato ricoperto di fili d'erba e fiori gialli, la terra era dura e sassosa. Michelangelo assestava colpi a raffica.

«Lascia scivolare il manico quando scavi» gli consigliò il nonno, «altrimenti t'ammazzi di fatica e non concludi niente. Devi fare una buca larga quanto le tue spalle e profonda fino ai ginocchi.»

Il ragazzo scavava e spalava, era stanco, ogni tanto chiedeva: «Cosa cerchiamo, nonnò?» e intanto si asciugava il sudore con la manica della camicia.

Il vecchio gli rispondeva brusco: «Scava e statti muto. Scava e lo vedrai».

Finalmente il colpo sordo del piccone contro una pietra pose fine al diverbio e al malumore del nonno. «Ci siamo. Hai scavato nel punto giusto. Ora leva la chjatra di fiumara e tira su il sacchetto.»

Era una pietra tonda e pesante, pareva un grosso pane ammuffito. Michelangelo l'appoggiò sulla montagnola di terra smossa al lato della buca, poi disse: «Qui sotto non c'è niente».

Il nonno impallidì, forse stava per svenire. «Non può essere, guarda bene!» Aveva parlato con una voce rabbiosa, delusa.

Il ragazzo riprese a scavare con le mani e sotto due dita di terriccio avvertì un involucro di stoffa ruvida, senza capire subito che era pieno di monete. Solo quando lo tirò fuori sentì un tintinnio metallico e finalmente vide il nonno sorridere di gioia.

All'inizio erano quarantanove monete, raccontò il nonno mentre ritornavano a casa in groppa al mulo. Le aveva trovate scavando in profondità sul pendìno di fronte al mare. Voleva piantare un alberello di nucipersiche, di quelle grosse e succose, che gli aveva regalato un suo compagno minatore di San Nicola, un uomo in gamba, morto pochi mesi dopo, salute a noi, a causa di una bastarda malattia ai polmoni.

Quanti anni sono passati dal giorno del ritrovamento? Trenta, trentacinque? Eppure lui se lo ricorda come fosse oggi. A quei tempi fatica il doppio, il triplo di una persona normale, i suoi figli sono guagnunèlli e lui appena scapola dal turno in miniera, all'alba o alle due di pomeriggio, si parrùpa in collina a cavallo, per scoglìre un'altra giornata o mezza di fatica. Quello è un terreno ferrigno, se vuoi piantare un alberello e speri un giorno di mangiarne i frutti, devi scavare una buca bella cupa, poi la riempi di terriccio letamato per bene che puzza ancora di sterco fresco, così la pianta cresce sanizza e forte.

La buca è quasi pronta, bastano un paio di picconate, quando la punta del pico centra in pieno un vasetto di terracotta e lo trascina all'aria spaccandolo in due come un melone d'acqua infilzato dalla punta di un coltello. Le monete sbrìnchiano in tutte le direzioni, come creature vive, finalmente libere di toccare il vento, di assorbire la luce del sole. Infatti brillano nella fossa aperta e lui non riesce a staccarsi da quel brillantìo, ne è immobilizzato come dalla bacchetta magica di una fata. Ma è vero quello che vedo o mi sto insognando tutto quanto? Questo pensava e non allungava la mano per raccogliere le monete. Ogni volta aveva riso quando gli avevano raccontato di persone culùte che avevano trovato pocce piene di monete d'oro, zappando la vigna o demolendo i vecchi muri delle case. Non ci credeva, piuttosto avrebbe creduto a un asino che vola, lui credeva solo alla forza delle sue braccia e della sua volontà. Con quelle stava andando avanti fino allora, crescendo i figli, acquistando quota dopo quota il Rossarco.

Tocca la prima moneta con cautela, come se avesse paura di uno scoppio improvviso. La poggia sul palmo della mano e la osserva attentamente. Ha il colore grigio stralucente dell'argento, non è proprio rotonda, sul dritto spicca un bel toro che guarda un pesce sotto la linea delle zampe, sul rovescio una testa di profilo, non si capisce se di mascolo o femmina, cinta da una corona di foglie che sembrano di ulivo. Poi, come se stesse scadendo il tempo del sogno e le monete potessero sparire da un momento all'altro, raccoglie le altre con una foga frettolosa e le conta: trentatré d'argento, quattro di bronzo e dodici d'oro.

Il pensiero delle monete gli toglie il sonno: cosa me ne faccio? Hanno un valore? Tanto, poco, quanto? Chi me lo può dire? Ci posso accattare il resto della collina se le vendo? E a chi le vendo, dove? E nel frattempo dove le nascondo, di chi mi posso fidare, di chi, a parte Sofia?

La muglièra dice che, secondo lei, bisogna consegnarle al municipio o ai carabinieri, perché le monete così antiche appartengono allo Stato e lui s'incazza, è una ciotìa, grida, l'onestà in questo caso è controproducente, perché siamo circondati da disonesti che se li mangiano crudi, quelli onesti, con tutte le monete addosso: una volta sola passa Cristo davanti alla porta di casa tua, e se non lo riconosci perdi l'occasione della vita.

Per mesi e mesi scava in quel pizzo sul mare come uno spirdato, cerca monete, oggetti antichi, di valore. Trova resti di ossa, tombe vuote, tre o quattro vasetti scassati, sporchi di cenere. Qualcuno ha scavato prima di lui, macàri dieci anni fa oppure cento, mille, chi lo può dire? L'unica che ha visto tutto è la collina, e purtroppo non ha bocca per parlare, a parte la voce del vento che però è incomprensibile ai vivi.

«Basta, non fare il paccio, contentati della fortuna che hai avuto» gli dice Sofia, «altrimenti cadi malato e la salute vale più di tutte le monete di questo mondo.»

La muglièra ha ragione, non gli resta che contentarsi, tanto le cose che devono accadere accadono anche se tu non insisti, non le cerchi. Sono loro che prima o poi vengono a cercarti, com'era successo a lui.

Quando incontra quel galantòmo del professor Orsi sul Rossarco sono trascorsi circa dodici anni dal ritrovamento e lui ha l'autorevole conferma che sul Piloru c'è roba anticaria di valore e in quantità. E infatti qualche anno dopo, zappando in quel pendìno, trova una bella testa di femmina in buono stato. Le monete erano già al sicuro sottoterra. Ne mancavano otto d'oro, sei d'argento e due di bronzo. Le aveva vendute a un maestro di Cirò che trafficava con un collezionista di Roma, pregandolo di non aprire bocca con nessuno. Con i soldi ricavati aveva accattato le ultime quote di terra rimaste: i contadini si contentavano della somma sufficiente per procurarsi il cosiddetto pezzettino, il biglietto di sola andata per la Merica. Sotto l'ulivo erano rimaste trentatré monete, un bel numero inscordabile, pensa, gli anni di Cristo in croce.

La voce che Alberto Arcuri avesse fatto soldi a palate, grazie al ritrovamento di un chilo di monete d'oro, arrivò fino in miniera, ma lui reagì con una risata schietta. «Macàri» ripeteva ironico, «macàri.» Ammetteva solo l'acquisto delle terre a un prezzo decente, e ribadiva che presto avrebbe dato un calcio al buio delle gallerie, all'aria fetùsa. A lui non serviva altro. Anzi, no. A essere sincero gli serviva una chitarra battente come Dio comanda e perciò ne aveva ordinata una al miglior liutaio della Calabria, il famoso De Bonis di Bisignano. Questo era l'unico sfizio di cuntentizza, non tanto per sé ma per i suoi figli, in una vita di fatiche e sacrifici. Basta. Questione chiusa, da parte sua.

Alle monete restanti si sforzava di non pensarci più: le avrebbero divise i figli alla sua morte. Nessuno poteva immaginare che i figli sarebbero scomparsi prima di lui. E questo è il dolore più maligno per un genitore, sopravvivere ai figli, sentirti strappare la carne a crudo ogni volta che li pensi o che vedi la chitarra battente appesa al muro, muta.

Così le monete erano rimaste seppellite a nove passi dall'ulivo gigante. La muglièra non aveva mai voluto che le vendessero perché portavano scalogna nìvura, secondo lei, mentre lui all'incontrario aspettava di utilizzarle un giorno per il bene della sua famiglia.

Ora l'occasione era arrivata.

16

«Egregio Prof. Orsi, mi chiamo Michelangelo Arcuri e Vi scrivo questa lettera a nome della mia famiglia. Noi viviamo a Spillace, vicino a Cirò, e siamo i padroni del Rossarco, dove Voi avete fatto degli scavi due primavere fa. Vi ricordate? Io sono il ragazzo che chiamavate "il piccolo custode della collina".

Vi scrivo per sapere quando avete intenzione di continuare gli scavi, come ci avevate promesso. E soprattutto Vi scrivo siccome Voi avevate detto alla mamma di farlo con urgenza se c'erano novità che riguardavano l'antica Krimisa. Ora è successo un fatto molto importante: il nonno ha trovato un vasetto di terracotta con dentro trentatré monete antiche, che vorrebbe vendere a Voi, sapendo che siete una persona onesta e competente. Chi meglio di Voi può dirci il valore esatto delle monete ed essere interessato all'acquisto a fin di bene? Di Voi ci fidiamo tutti ciecamente, anche mio padre che ha conosciuto la Vostra generosità durante gli scavi a Punta Alice.

Credetemi, mi vergogno a dirvelo, ma dato che al momento lavora solo la mamma, abbiamo bisogno di denaro per campare e per i miei studi perché ho superato l'esame di ammissione all'istituto magistrale e andrò a Catanzaro per studiare. La mia famiglia ha un po' di risparmi, ma purtroppo finiranno presto, e mio padre sta ancora scontando un lungo periodo di confino. L'unica ricchezza che abbiamo è la nostra collina e queste monete che il nonno ha trovato con l'aiuto di sant'Antonio. Vi mando i disegni dei sette tipi di monete in nostro possesso, Vi garantisco che sono identici agli originali. Li ha fatti mia sorella Sofia Antonia, che in disegno è davvero la più brava di Spillace e da grande vuole studiare pure lei. Li ha colorati in grigio, giallo e marrone scuro, per farVi capire il metallo di cui sono fatte.

Potete dirci per piacere se siete interessato all'acquisto e il prezzo delle singole monete, se e quando venite eventualmente a Spillace per vederle con i vostri occhi o se dobbiamo venire noi da Voi? Io Vi posso garantire che le monete sono in buono stato e proprio bellissime, tranne due di bronzo molto consumate.

Nell'attesa di una Vostra gradita risposta, Vi mandiamo i nostri più distinti saluti.

Arcuri Michelangelo e famiglia tutta.»

Il ragazzo finì di leggere la lettera attorniato dai familiari. Ci aveva impiegato due giorni a scriverne la brutta copia, con la supervisione del nonno che gli aveva consigliato di omettere il numero delle monete vendute. Per evitare brutte figure aveva sottoposto al maestro Tavella i singoli dubbi ortografici, lessicali e sintattici, evitando cautamente di svelargli l'intero contenuto dello scritto; poi aveva ricopiato in bella.

Erano tutti entusiasti della sua bravura, sembrava la lettera di un avvocato, dissero, il discorso privo di sbagli di un prete, di un vero maestro. Un elogio a parte lo riservarono ai disegni di Ninabella, precisi come fotografie.

Da mesi in casa Arcuri si discuteva a voce bassa della necessità di vendere le monete ma non si sapeva a chi rivolgersi, il nonno non si fidava di nessuno della zona, e la nonna era addirittura contraria alla vendita, voleva che le monete venissero di nuovo seppellite per l'eternità perché portavano scalogna nìvura, lei lo sapeva, ne aveva le prove di morte dentro il cuore, il cuore non si sbaglia, Albè, e il nonno si arrabbiava con lei e la sua crozza all'antica, mentre Lina e il nipote cercavano di convincerla che i figli non li avevano uccisi le monete, ma la guerra, la guerra bastarda, micidiante come tutte le guerre.

Per fortuna Lina si era ricordata che il professor Paolo Orsi, prima di partire, le aveva lasciato il suo indirizzo di Siracusa e le aveva proposto di scrivergli in caso di ritrovamenti di robe anticarie.

La lettera fu spedita dall'ufficio postale di San Nicola per non dare nell'occhio. La cosa che più temevano gli Arcuri erano le fantasticherie invidiose della gente di Spillace. A quelle non riuscivano ad abituarsi, perché le ritenevano subdole, gratuite, un coltello nella schiena. Davanti, tutti ti sorridevano, ti elogiavano, ti auguravano ogni bene, ogni progresso; alle spalle, ti massacravano con pettegolezzi infamanti: che donna Lina, visto che era ancora giovane e piacente e non aveva il marito nel suo letto, nella casella incontrava un bel mascolo della Marina o addirittura il fattore di Spillace, che a volte passava da lei con la scusa di portarle le solite ambasciate di don Lico; e Arturo era comunista per finta – si può essere comunisti se si possiede una collina intera di campagne, vigneti, oliveti, frutteti a volontà? –, un ambizioso fallito che voleva prendere il posto di don Lico, per questo lo aveva minacciato di morte, per questo mo' si faceva, giustamente, una bella vacanza in un'isola, altro che confino duro come una prigionia; e il vecchio Alberto era un rimbambito con la crozza affumicata; e i nipoti dei poveri illusi, che pensavano di diventare studiati come i figli di don Lico e del medico, si sentivano i più sperti di Spillace, ma avevano ciotìa da vendere e buonsenso da comprare.

Era Sofia a intercettare queste voci che, sbraitava, non stavano né in cielo né in terra né in nessun luogo, e litigava di continuo con le vicine di casa e i parenti, negava tutto e, se necessario, s'incapillava con la cattiveria di una strega: «Quando ci vuole, ci vuole» gridava infine con il gozzo ballonzolante da rospo in fuga. L'unica della famiglia che le dava manforte era Ninabella, grintosa come la nonna, sempre pronta a sfoderare le sue unghie e la sua lingua più appuntita di un coltello. Lina e il figlio cercavano di calmarle e di trascinarle dentro casa; il vecchio, invece, sfruttava la sua debolezza d'orecchio per far finta di non capire o, se capiva, si scrollava di dosso il fango della gente e la reazione teatrale della moglie con un sorrisetto ironico: «Le cose malamente della vita sono ben altre, vero Arturì?».

Michelangelo rispondeva di sì, serio come il vero Arturo. I pettegolezzi ciotìschi del paese non lo turbavano affatto, erano altre le sue preoccupazioni in quel periodo.

Mancavano pochi giorni all'apertura della nuova scuola e la risposta di Paolo Orsi non era ancora arrivata.

Come promesso, il signor maestro Tavella si era accollato le incombenze burocratiche, iscrivendo Michelangelo all'istituto magistrale di Catanzaro, e logistiche, trovandogli una camera in affitto a un prezzo di favore presso una coppia di suoi amici. Addirittura aveva intenzione di accompagnarlo in città il giorno prima dell'inizio delle lezioni. Sarebbero partiti in treno da Cirò Stazione.

Michelangelo trascorreva il tempo dell'attesa in compagnia del nonno, entrambi silenziosi, seduti sul muretto del vicolo, a scacciare le mosche con la mano e ad afferrare le boccate di fresco che salivano dalle timpe. Faceva troppo caldo per una scappata in piazza.

Quando arrivò il momento di partire, la madre e la nonna si staccarono da Michelangelo con un pianto dirotto e disperato, come se stesse andando in guerra.

Il nonno non piangeva, però abbracciandolo gli disse con

una voce decrepita da moribondo: «Arturì, chissà se ci vedremo quando tornerai».

Ninabella provò a sdrammatizzare: «Nonnò, non lamentarti sempre, tu vivrai quanto una quercia. E ricordati: lui non è Arturo, è Michelangelo». Poi rivolta al fratello: «Beato te che te ne vai da questo posto di pacci!».

17

Nei primi mesi a Catanzaro Michelangelo non era mai uscito di casa, se non per andare all'istituto magistrale De Nobili, un tragitto di un quarto d'ora per lo più in salita, lungo una strada che attraversava la zona delle cosiddette baracche. Dopo la scuola, rientrava nella sua camera, mangiava una minestra o un piatto di pasta che gli preparava la signora della pensione e poi studiava, per ore e ore, intere pagine a memoria, come pretendevano i professori. Non occorreva capire, occorreva saper ripetere e lui, grazie alla sua memoria di ferro, era uno degli studenti più bravi, prendeva voti abbastanza alti in quasi tutte le materie, specialmente in storia e geografia, in italiano e scienze. La sera cenava da solo: per risparmiare sul costo della pensione che era di centoventi lire al mese, da casa gli mandavano dei pacchi pieni di pane, salsiccia, soppressata, formaggio, fichi secchi o infornati e qualche vasetto di sarde salate. Poi riprendeva a studiare sdraiato sul letto, finché si addormentava con la candela accesa.

L'indomani, in classe, era sveglio e attento. I suoi compagni lo invidiavano per la preparazione che dimostrava ogni giorno e gli facevano una corte spietata pur di copiare i suoi compiti e le sue prove scritte. I professori lo stimavano e lo additavano a esempio, tranne due fanatici fascisti che lo tenevano sotto torchio da quando avevano saputo che il padre era al confino politico. «Con il nostro aiuto» gli dicevano «imboccherai la strada giusta che il tuo scellerato padre ha smarrito, offendendo il nostro duce.» Michelangelo aveva voglia di scagliarsi contro quei due e abbatterli con una capata sul naso. Lavatevi la lingua con il sapone quando parlate di mio padre, pensava, non ha fatto niente di male, la colpa è di don Lico, un cornuto come voi; il prossimo anno, appena sarà libero, ve la farà pagare, a tutti, anche a chi ha voluto infangare la nostra collina seppellendovi due mort'ammazzati, e io lo aiuterò, statene certi. Abbassava gli occhi sul libro, stringeva le mani a pugno sotto il banco e fingeva di leggere. Non poteva rischiare di essere cacciato dalla scuola per due bastardi del genere.

Per le vacanze di Natale fece il primo viaggio di ritorno verso casa. Preparò lo zaino con la roba sporca, prese la funicolare, scese a Catanzaro Sala e da lì, cambiando treno alla Marina, arrivò a Cirò Stazione, impiegando ben quattro ore per un tragitto di poco più di novanta chilometri. Era una giornata fredda e luminosa. Vide la collina inondata di sole e, senza pensarci troppo, s'incamminò in direzione del Piloru, il versante scavato da Paolo Orsi.

Aveva intenzione di fare una sorpresa alla madre. Non immaginava che sarebbe stato il contrario.

Dal Rossarco gli veniva incontro solo la voce del vento, un fruscio acuto simile al lamento di un cristiano ferito, mentre lui sudava, nonostante le folate di freddo, e avanzava cauto e silenzioso.

All'arrivo cercò la madre nella vigna, poi scese nell'agrumeto lungo la fiumara, diede un'occhiata all'orto, risalì il bosco di Tripepi, dove a volte lei andava a tagliare le frasche per il forno; quindi, senza scoraggiarsi, zigzagò tra le isole di fichi d'India e attraversò la collina fino all'ulivo gigante.

A quel punto ebbe la tentazione di arrendersi e chiamarla ad alta voce, rinviando la sorpresa a un'altra occasione. Ma proprio allora si accorse del mulo che pascolava libero, accanto alla casella. Si avvicinò in punta di piedi, con un riconquistato sorriso sulle labbra. Non aveva dubbi: la madre era là dentro a consumare il morsello di mezzogiorno. Allungò l'occhio tra le fessure della finestrella e di colpo il sorriso si trasformò in una smorfia di incredulità disperata, un dolore disgustoso che gli impastava come vomito la bocca aperta.

La madre teneva gli occhi chiusi, il mento appoggiato nell'incavo tra spalla e collo di un uomo sconosciuto. Era un abbraccio tenero, volontario. L'uomo le aveva infilato le dita tra le onde dei capelli e le accarezzava la testa, le sussurrava qualcosa all'orecchio, ignaro dello sguardo che lo fissava alle spalle e che, se avesse potuto, lo avrebbe fulminato.

Michelangelo non sapeva cosa fare, ora sentiva realmente il vomito che gli saliva in gola. Chiuse gli occhi per un istante e li riaprì con la speranza infantile che fosse tutto un sogno.

La madre era sparita dietro le spalle larghe dello sconosciuto, i due stavano attaccati bocca a bocca e si stringevano forte. Fu da quell'istante che Michelangelo non riuscì più a resistere al disgusto doloroso. Si allontanò dalla casella barcollando per qualche metro, inciampò e cadde per terra facendo ragliare il mulo, poi urlando: «Zoccola, zoccola, sei una zoccola fottuta» si mise a correre, «brutta zoccola, lo dirò a papà quando torna» e stava male nel pronunciare queste parole, ovvio, «zoccola schifosa» e correva e avrebbe corso all'infinito, lontano, lontano da quella vista insopportabile, se la porta della casella non si fosse aperta con un rumore stridulo e se un urlo alle sue spalle non lo avesse colpito come una cozzulata: «Michè, dove vai? Torna indietro!».

Il ragazzo riconobbe subito la voce e si fermò girandosi di

scatto, richiuse gli occhi e li riaprì, dunque non stava sognando, lo sconosciuto era il padre, con i capelli ricci e i baffi spruzzati di un inedito grigio, ma era lui, gli occhi scintillanti, le labbra carnose che si aprivano a un sorriso bianco, inconfondibile.

«Michè, non stare lì incantato, sono io, vieni ad abbracciarmi» gli gridò il padre e finalmente il figlio si mosse, replicando all'incontrario le azioni, i sentimenti, le imprecazioni di prima: corse verso la casella, inciampò in preda a una felicità sconvolgente, vide la madre che usciva dalla casella e si vergognò delle parolacce che le aveva scagliato ingiustamente, sentì l'odore del padre, le sue braccia forti che quasi lo stritolavano, le labbra morbide della madre sulla fronte sudata, e liberò un pianto di gioia e di pentimento, il primo della sua vita, mentre le voci incrociate dei genitori cercavano di consolarlo: «Perché piangi, gioia? Sono tornato. Papà tuo è tornato da una settimana, Michè. Sei contento? Per sempre».

Conferme

«Per sempre è un'espressione effimera che racchiude la nostra voglia caparbia di perdurare nel tempo. Non esiste nulla per sempre, a parte le cose tangibili, ritenute erroneamente inanimate, come le pietre di fiumara, le montagne della Sila, il mare nostro, il vento. Per sempre è la collina del Rossarco.»

Ripensavo spesso alle parole di mio padre, alle storie che mi raccontava. Erano disseminate di certezze e disillusioni, di spine e fiori, in fondo servivano soprattutto a lui, a scacciare le ombre più insidiose del suo passato, così cupe da offuscargli la vita. L'effetto che avevano in me non gli importava. Se mi vedeva annaspare dietro i fatti più ingarbugliati e misteriosi della collina, temporeggiava: «Devi avere pazienza, figlio. Prima o poi la verità viene a galla». E anziché chiarirmeli, i fatti, girava attorno a loro, circospetto ed esitante, come un topo che fiuta il formaggio nella trappola. Insomma, la verità dovevo scoprirla da solo.

Quando all'inizio di agosto sono sceso in Calabria per le vacanze, mio padre ha notato subito l'assenza di Simona: «Perché tua moglie non è con te?» mi ha chiesto salutandomi. Sapeva poco di noi, non ci chiamava mai. Sembrava non volesse sentire che io in Trentino stavo bene, grazie a Simona che era del posto, e mi piaceva il mio lavoro d'insegnante, la gente e pure le montagne, non mi mancava nulla, pa', quasi nulla.

Gli ho annunciato con un certo orgoglio: «Simona è incinta di due mesi, non ha voluto affrontare lo strapazzo del viaggio e il caldo di quaggiù. Starà con i genitori nella loro baita in montagna. Se Dio vuole, il prossimo anno veniamo assieme al bambino». Lui ha risposto solo: «Finalmente», ma quell'avverbio esprimeva tutta la sua gioia.

«Simona ti manda questo» ho aggiunto e gli ho consegnato il catalogo di una bella mostra dedicata a Paolo Orsi dal museo civico di Rovereto, la sua città natale. Era pieno di fotografie che ritraevano l'archeologo nei luoghi degli scavi.

Mio padre lo ha riconosciuto prima ancora di leggere le didascalie: «Guardalo, il professor Orsi, uguale a come l'ho visto sulla nostra collina, con il pizzetto bianco, gli stivaloni affibbiati e la giacca abbottonata fino al collo. Lo stesso sguardo sperto!». Fissava ogni singola foto con affetto e, a giudicare dagli occhi lucidi, con un pizzico di commozione. Ce n'era una che ritraeva il professore con un carabiniere perché in quegli anni, come sottolineava la didascalia, a girare da soli per le campagne meridionali si rischiava la vita.

Sbirciando assieme tra le pagine, abbiamo trovato la conferma dei ripetuti viaggi di perlustrazione dai dintorni di Cirò Marina fino a Cariati, l'arresto per spionaggio, la campagna di scavi a Punta Alice, ma nessun accenno esplicito al Rossarco.

Mio padre pareva deluso.

«Di sicuro Paolo Orsi ne avrà scritto nei suoi famosi taccuini, che purtroppo sono gelosamente secretati al museo di Siracusa» gli ho detto. E lui si è ricordato che comunque mia madre aveva potuto consultarli grazie all'intercessione di un grande amico di Paolo Orsi, Umberto Zanotti-Bianco, di cui era stata collaboratrice.

«Sai se la mamma vi ha trovato qualche notizia interessante degli scavi sul Rossarco?» gli ho chiesto curioso.

Mio padre si è incupito. Guardava le ultime foto di Paolo Orsi da vecchio. Mi ha risposto sbrigativamente: «Tante». E ha cambiato discorso: «L'ho saputo da lei che il professore era morto nel lontano 1935, all'età di settantasei anni. Ci sono rimasto male, lo consideravo un parente o un vecchio amico che amava questi luoghi. Se sapesse come vengono aggredite le nostre colline oggigiorno, si rivolterebbe nella tomba: altro che parchi archeologici, qui stanno nascendo parchi eolici e pattumiere colossali dappertutto. Per non parlare delle coste ormai deturpate dal cemento e dalle case abusive».

Era davvero dispiaciuto, mio padre, e non capivo se dipendesse dall'accenno alla morte di Paolo Orsi o dagli scempi ambientali o da entrambi. Una folata di vento improvvisa ha accompagnato con impeto la mia domanda: «Quei tipi del parco eolico si sono rifatti vivi per convincerti a firmare?».

«Solo una volta, gli stessi imbroglioni. Poi sono venuti, uno dopo l'altro, due sindaci, un funzionario provinciale, un figlio di don Lico che mi ha intimato di accogliere la proposta, altrimenti anche lui avrebbe perso l'affare, e il portaborse di un assessore regionale...»

«E tu come hai reagito?»

«Li ho mandati tutti a farsi fottere. E loro, prima hanno minacciato l'esproprio, poi per non avere rogne hanno dovuto cambiare la disposizione delle pale nell'area del parco. La nostra collina è salva al momento, ma i dintorni, i bei paesaggi che i forestieri ci invidiavano?»

Per qualche minuto è rimasto rabbuiato, a occhi bassi, muto. Poi, come se avesse intuito la mia necessità di conferme, mi ha detto: «Andiamo dentro che ti devo mostrare una cosa interessante».

Eravamo sotto l'ulivo gigante e, nel tragitto fino alla casella, mio padre mi ha elencato le altre "visite" che aveva ricevuto in quei mesi: i turisti finti ingenui e le furbe manilònghe dei dintorni che arrivavano lassù per rubargli la frutta e la verdura; le coppiette che salivano dalla Marina per fare l'amore nel bosco di Tripepi; gli scaltri tombaroli che, appena lui si allontanava dal Rossarco, saggiavano ogni palmo di terreno con sofisticati metal detector e scappavano come conigli quando lo vedevano comparire con la doppietta imbracciata. Senza contare i suoi amici marocchini, gli unici di cui mi ha parlato con rispetto, che lo aiutavano nei lavori durante le prime ore dell'alba e ricevevano ogni due mattine la paga di una giornata, più frutta e verdura a volontà.

Gli ho detto scherzando: «Ma questa collina è trafficata più della statale 106». Lui mi ha sorriso.

Entrati nella casella, è andato dritto a rovistare in un cassetto del comò. Poi ha detto: «Ecco, leggila», porgendomi una vecchia lettera su carta intestata del museo di Siracusa.

Le parole erano fitte e piegate come fili d'erba al vento. Ho letto ad alta voce: «Caro Michelangelo Arcuri, mi scuso se non Le ho risposto prima, ma una brutta malattia mi ha costretto a letto. Ora sto un po' meglio. Le prometto che non appena mi riprendo del tutto verrò a Spillace a valutare le monete e ad acquisirle a norma di legge. Dunque, a presto, e complimenti a Sua sorella che è brava quanto il mio disegnatore Carta. Un cordiale saluto a Lei e a tutta la famiglia Arcuri, compreso Suo padre, che spero sia rientrato in anticipo dal confino (io, in qualità di senatore, ho perorato la Vostra richiesta di grazia nelle sedi opportune, ma confesso che ho ricevuto solo risposte evasive). Con ogni riguardo. Paolo Orsi».

La lettera era stata recapitata pochi giorni dopo l'arrivo di Arturo da Ventotene, ha detto mio padre e ha ripreso a discorrere di quel periodo con una dovizia di particolari che mi hanno sorpreso. Nessuna nostalgia, però, nessun rimpianto. La sua commozione si è trasformata in lucido racconto di fatti che parevano accaduti al presente. Al punto che parlava del padre come se fosse arrivato con me da un'isola lontana, quel mattino, a portargli la bella notizia di una nuova nascita.

18

Dopo quattro anni, otto mesi e sedici giorni di separazione forzata per colpa del confino, la famiglia Arcuri ritornò unita e libera di sorridere e progredire, come se all'improvviso un sole di fuoco avesse bruciato il velo luttuoso che avvolgeva la loro casa. Quel sole era Arturo, attivo e tenace come quando era rientrato dalla guerra, con la differenza che ora aveva un aspetto sanizzo, la pelle liscia e abbronzata, il fisico più robusto, gli occhi brillanti di sogni e di speranze.

Grazie ai suoi compagni confinati con cui aveva discusso ogni giorno a Ventotene, dimostrava una maggiore consapevolezza politica e una discreta preparazione ideologica. Conosceva a memoria brani del *Manifesto del Partito Comunista* e riusciva a parlare, all'occorrenza, un italiano abbastanza corretto, forse un po' troppo da comizio, che comunque colpiva gli interlocutori contadini. Era pure diventato meno ingenuo e più cauto: portava avanti le sue battaglie politiche di nascosto, incontrando i compagni nella casella e spiegando loro cosa vuol dire comunismo, capitalismo, lotta di classe. Per lui i nemici da abbattere erano il fascismo e il latifondismo, due facce della stessa medaglia di ingiustizia, incarnati entrambi nella figura di don Lico.

Non tutti erano d'accordo su questa semplificazione, perché don Lico dava a molti di loro la terra in affitto, dicevano;

è vero che si faceva pagare il doppio e non voleva sentire ragioni se l'annata finiva malamente, però grazie a lui non morivano di fame.

Ad Arturo cadevano le braccia e provava a convincerli con le sue utopie più da anarchico che da comunista: «Compagni, non dobbiamo contentarci delle briciole, la terra appartiene a chi la lavora e un giorno il latifondo di don Lico sarà vostro. Appena cade il fascismo gliela facciamo pagare a don Lico che ci ha rovinato la vita, occupiamo di nuovo le sue terre, ma stavolta rifiutiamo le elemosine: o tutto o niente!».

«E quando cade il fascismo, compà?» gli chiedevano in coro i compagni.

«Presto» rispondeva vago, «molto presto», lo sguardo a inseguire un punto lontano e luminoso.

Quando Michelangelo tornava da Catanzaro per le vacanze, trovava il padre al centro dell'attenzione generale. Sulla collina davanti ai compagni o in casa davanti ai familiari, spesso lo sentiva raccontare dei giorni trascorsi a Ventotene, un'isola minuscola, lunga poco più di due chilometri e mezzo, larga meno di un chilometro, dove lui aveva lavorato in una pescheria per quattro soldi. Nei momenti liberi aveva camminato su e giù per l'isola, ammirando il porto romano, gli scogli che le persone del posto chiamano Sconcigli, la Cala Battaglia, i resti di Villa Giulia e le Saliere. Lo sconforto lo prendeva quando si svegliava da quella bella vista e si ritrovava circondato dalle sbarre del mare, a marcire come un pesce buttato sulla spiaggia. A volte incontrava i compagni confinati ingiustamente, tutta gente istruita, mandata lì per ragioni politiche. E questa ingiustizia li accomunava, li faceva sentire fratelli e li divorava dentro come la salsedine marina che respiravano. Per lui il guaio più grosso era che il tempo non passava mai e gli pareva di impazzire all'idea di non poter vedere la sua sposa ancora giovane e in carne, i figli che crescevano, i genitori che invecchiavano, il Rossarco che rifioriva a ogni primavera lontano da lui.

Michelangelo pendeva dalle sue labbra in continuo movimento e solo di rado riusciva a raccontargli i fatti più interessanti successi durante la sua assenza: «Sapessi, pa', che bello vedere scavare il professore, ti aspettavi che da un momento all'altro sbucasse una pietra, un tesoro, una traccia qualsiasi di Krimisa. E invece un giorno escono fuori due scheletri e il professore capisce subito che non sono antichi, e si arraggia con tutti e dice che la collina è un sepolcro di segreti sanguinosi, dice proprio così e...».

Il padre lo seguiva per un po', distratto, poi lo interrompeva bruscamente: «Basta. So tutto, Michè, tutto. Non ti fissare con questa storia». E di nuovo approfittava dell'affetto sconfinato del figlio e dei familiari per esporre fino alla noia le sue idee di uguaglianza e giustizia sociale o per sparlare del fascismo, dimenticando che in un paese piccolo come Spillace anche i muri hanno orecchie.

I vecchi genitori lo ascoltavano perplessi e preoccupati, ma non dicevano nulla. La più solidale con lui era Sofia Antonia, che stravedeva per il padre e gli stava sempre accanto, gli accarezzava le mani, i capelli e i baffi, lo baciava di continuo per recuperare i tanti baci mancati del passato.

La moglie Lina, al solito, faceva l'avvocatessa del diavolo: «E se questi tuoi comunisti arrivano per davvero e ci pigliano la nostra terra?».

«Ma no, ciòta, della collina non ci toccano un filo d'erba, perché noi la nostra terra la lavoriamo, noi non siamo sfruttatori come don Lico» la tranquillizzava il marito e davanti a tutti le dava un pizzicotto affettuoso sulla guancia, accompagnato da uno sguardo d'intesa che rinviava alla nottata le carezze d'amore arretrate.

Il figlio capiva, non era più un bambino, e si sentiva felice:

finalmente aveva un padre in carne e ossa, che odorava di sudore e di Rossarco, e non una cartolina postale asettica da esibire con rammarico.

La sera Arturo gli insegnava a suonare la chitarra battente e Michelangelo, che studiava musica pure a scuola, imparava con passione. Di solito si univa a loro Ninabella che sapeva cantare meglio del fratello: «Canta il mio cuore / lontan da te non passan mai le ore / nel petto batte forte il tuo dolore / Canta il mio cuore». Era uno dei tanti stornelli che Arturo aveva inventato durante il confino a Ventotene e Ninabella lo cantava con una voce calda da innamorata, lo sguardo rapito.

La madre e la nonna attizzavano il fuoco o cucinavano o rammendavano o facevano la calza, ma per scaramanzia non esprimevano mai a parole la felicità che pure traspariva dai loro visi.

Nonno Alberto teneva gli occhi chiusi, forse sonnecchiava, forse si godeva la musica inseguendo i suoi fantasmi. E almeno tre volte al giorno chiedeva al nipote: «Ma quando viene il nostro professore?». Non vedeva l'ora di incontrare Paolo Orsi, vendergli le monete ed essere utile soprattutto a Michelangelo che portava il nome dei due figli buonanime, anche se con il rientro di Arturo la situazione economica si stava raddrizzando di mese in mese.

«Il professore verrà a giorni. Tranquillo, nonnò. È un uomo di parola» gli ripeteva il nipote e sperava che l'ultimo, viscerale desiderio del nonno venisse esaudito al più presto.

Una mattina, durante la lezione di storia, il professore autorizzò Michelangelo Arcuri a uscire con urgenza da scuola su richiesta della famiglia, che aveva mandato un parente a prenderlo.

Fuori dall'aula lo aspettava zio Gigino, che gli diede subito la malanova: «Michè, ti devo accompagnare a casa perché tuo nonno sta morendo. Alla signora della pensione l'ho avvisata io. Dobbiamo sbrigarci, altrimenti perdiamo la funicolare e il treno».

Michelangelo non pianse, non doveva, lo aveva promesso a se stesso che non avrebbe pianto per nessuna ragione al mondo, ma dentro sentiva un terremoto che gli squassava l'anima: nonnò è già morto, di sicuro, pensava e ripensava, zio Gigino non mi ha detto tutta la verità per non farmi disperare, o forse è ancora vivo, forse si riprende, nonnò, già una volta era con un piede nella fossa e poi è rinato.

Fecero un viaggio più rapido e costoso del solito, scesero alla stazione di Crotone, da lì presero il postale per il bivio di Spillace e l'ultimo tratto lo coprirono a piedi, quasi senza scambiarsi una parola, solo qualche sguardo affranto. Prima di entrare in paese, tre ore dopo la partenza da Catanzaro, zio Gigino gli disse la verità: «Tuo nonno è morto ieri, nel sonno dopo pranzo. È stata una bella morte, non si è accorto di niente».

Il vicolo di casa era stracolmo di gente che si aprì di scatto al passaggio di Michelangelo con un mormorio lamentoso. Appena vide il figlio, Arturo gli andò incontro e lo strinse forte, tra i singhiozzi e le grida degli altri familiari che si unirono a loro in un abbraccio collettivo, poi lo staccò dal gruppo e lo portò davanti alla bara del padre. «Dagli l'ultimo bacio, Michè. Il nonno non faceva altro che chiedere di te, in questi ultimi giorni, e mi raccomandava di continuare a mandarti a scuola. Di te e della collina nostra, mi parlava ogni giorno.»

Michelangelo posò un bacio sulla fronte gelida del nonno e non ebbe il coraggio di fissarlo a lungo, tuttavia colse la serenità che traspariva dal volto: forse era morto mentre sognava una cosa bella, magari la sua famiglia, il Rossarco, le monete antiche o la rìndina janca.

Il brusio, che all'ingresso del ragazzo si era interrotto, riprese più forte. La madre e Ninabella ne approfittarono per urlare di nuovo il proprio dolore. La nonna infilò la testa nella bara e si rivolse al marito a voce alta, disperandosi senza più lacrime, stringendosi le gote senza graffiarsi, baciandogli le labbra con tenerezza: «È venuto il tuo Michelangelo, gioia, è corrùto da Catanzaro per farti onore. Lo vedi? È vicino a te, lo vedi come s'è lungato e come t'arrassomiglia? Ha la tua stessa spertizza, la tua forza di volontà capace di accucchjare due montagne».

Ninabella si avvicinò alla nonna per consolarla e la vecchia cominciò a vantare anche lei, davanti al marito, lei bella nel nome e nel portamento da principessa, lei pittora che più brave non si trovano nemmanco a Venezia e sulla luna, lei salvatrice del nonno dalla solanza che lo aveva scarnato quando ripensava ai figli morti o spariti come Arturo. E del resto tutti gli volevano bene al marito suo, ohi gioia grande, al suo re del Rossarco, e infatti quel giorno sembrava il funerale di un re, c'era Spillace intera e San Nicola tutta e pure gente di Pallagorio e della Marina, c'erano i suoi compagni minatori ancora vivi, gli amici dei figli, i musicanti, c'erano, il mondo intero, c'era, che lo avrebbero accompagnato nel paradiso, accanto a sant'Antonio e santa Vènnera, ai figli nostri Michele e Angelo che ti aspettano per abbrazzarti. Apri gli occhi, Albè, aprili per un momento e guarda quanta gente che ti onora. Apri gli occhi belli, che quando mi guardavi sentivo squagliarmi il cuore, apri. Ci siamo voluti da guagnunèlli, eravamo poveri di tutto ma ricchi di sogni, tu andavi in miniera e puzzavi di zolfo, io ti lavavo la schiena, gioia insaponata, e il giorno dopo andavamo in collina a inprofumarci, a zappare con raggia per i figli nostri, per il futuro. Abbiamo faticato senza spagnarci di niente e di nessuno, come volevi tu. Apri gli occhi, Albè, e guardami per l'ultima volta, poi dormi per sempre, gioia mia eterna.

Nella stanza zeppa di gente echeggiarono i rintocchi lugubri delle campane. Dopo arrivò il prete. Sofia si arrese come colpita al cuore da colpi di fucile. Dalla sua bocca uscì un lamento incomprensibile che durò per tutto il funerale.

C'era davvero una marea di gente nel corteo funebre, amici, parenti, forestieri, conoscenti, persino nemici come don Lico e i suoi scagnozzi. Arturo aveva voluto l'accompagnamento della banda musicale di Spillace e all'atto del commiato, dopo la messa, si sentì una strana marcia funebre che molti riconobbero, sebbene fosse abilmente camuffata, e si commossero: era l'inno dei lavoratori.

19

Si incontrarono nel castello Sabatini, vicino alla stazione ferroviaria di Cirò, perché a Paolo Orsi mancavano le forze per salire fino a Spillace, aveva scritto nella cartolina postale fissando l'appuntamento.

Le tre donne erano vestite di nero, il padre e il figlio portavano la cravatta del lutto; si muovevano come ramarri spaventati e sospettosi, procedendo a scatti verso il tavolo del salone, la testa intontita a inseguire in tutte le direzioni i luccichii dei mobili.

Il professore si era avvicinato a loro strascicando i piedi malfermi sul pavimento di cotto e aiutandosi con un bastone. Li aveva riconosciuti a stento. Accanto a lui, pronto a sorreggerlo in caso di bisogno, c'era un uomo più giovane, il restauratore Giuseppe D'Amico.

Quando seppe della morte di Alberto, Paolo Orsi strinse la mano agli Arcuri in segno di cordoglio. «Era una persona brava e dignitosa che ci teneva molto alla famiglia e alla sua terra. Me lo ricordo perfettamente... anche se ci siamo visti una sola volta... il giorno che ho percepito la presenza di Krimisa nel versante del Piloru. Con lui ho condiviso la visione memorabile di una rondine albina... e forse non è stato un caso che sia comparsa proprio a noi, in quel cielo, sopra il Rossarco...» disse incespicando sulle parole per la commozione.

«È stato mio padre a trovare le monete e a chiedere di rivolgerci a voi» intervenne Arturo. Poi fece un cenno alla madre, che come per magia tirò fuori dall'incavo tra i grossi seni un fazzoletto di lino annodato tre volte e lo consegnò al vecchio, spiegandogli dove era stato rinvenuto il tesoretto e omettendo per precauzione la vendita delle sedici monete. Accompagnava le parole con forti sospiri, che non erano dovuti all'emozione di trovarsi davanti a un uomo carismatico e istruito, come pensarono i familiari, ma ritmavano il sollievo di liberarsi per sempre delle monete portascalogna: il suo vecchio desiderio finalmente si avverava.

Il professor Orsi slegò con mani tremanti i tre nodi del fazzoletto e poi analizzò le monete una per una, a lungo, osservandone i dettagli attraverso una lente d'ingrandimento tolta dalla tasca della giacca. Posava quindi i singoli pezzi sul grande tavolo di noce dopo averli fatti pesare con un bilancino da Giuseppe D'Amico, che aveva pure il compito di scrivere su dei cartoncini i commenti estemporanei del professore.

Gli Arcuri assistevano alla scena con ammirazione, soprattutto Michelangelo che non si perdeva una parola, né un gesto del professore intento ad annotare i singoli stateri, dioboli, didrammi, trioboli, pegasi, monete coniate tra il 510 e il 400 a.C. a Kroton, Sybaris, Thurii, Metapontum, Tarentum, Kaulonia, Terina; le più rare e misteriose risultavano le monete d'oro, perché appartenenti a un'epoca posteriore, a quando Krimisa probabilmente era già tramontata, e dunque non si capiva come mai si trovassero assieme alle altre. Era dispiaciuto, il professore, che non fosse stato conservato il vasetto originario, da cui avrebbe potuto risalire con più precisione al periodo dell'occultamento e forse anche al motivo. Comunque le monete provavano con certezza che la collina era stata abitata e, secondo lui, nascondeva i resti di Krimisa, oltre agli scheletri di epoca più recente, concluse con un pizzico di ironia.

A quel punto il tavolo pareva una scacchiera, composta di trentatré cartoncini sormontati da altrettante pedine d'argento, d'oro e di bronzo.

L'ultima operazione fu la più meticolosa: la scacchiera venne divisa in due parti sulla base di un criterio che agli Arcuri restava oscuro.

Poi il professore spiegò l'arcano con il suo vocione di sempre, come se durante le operazioni di stima anziché affaticarsi si fosse rinvigorito. Anche la mano con cui indicava le monete non tremava più. «Forse sapete che, per legge, di tutte le cose antiche che si scoprono sul suolo italiano la metà appartiene di diritto allo Stato, un quarto allo scopritore e un quarto al proprietario del terreno...» disse il professore.

«Eh, no. Questo non è giusto. Allora noi ci ripigliamo le nostre monete e andiamo a venderle in privato» lo interruppe donna Lina con veemenza.

«Zitta. Fai parlare il professore. Noi non vogliamo andare contro la legge» intervenne Arturo deciso.

«Capisco la delusione della signora, ma la legge è legge. Molti anni fa mi è capitata una questione simile per un tesoretto trovato a Soverato. Il possessore non voleva arrendersi, ha speso persino soldi in avvocati, anche perché in quel caso era intervenuta una terza persona che avanzava diritti sul luogo del ritrovamento, e alla fine ha dovuto accettare la sua metà.»

«Dio ce ne scansi e liberi dagli avvocati, ci succhierebbero il sangue. Professò, fate voi che fate bene» disse Sofia che gliele avrebbe cedute pure gratis, le maledette monete.

«Grazie, signora, della fiducia. Ho diviso il vostro tesoretto in due lotti che, secondo la mia coscienza di archeologo e numismatico, grosso modo si equivalgono, se non per numero almeno per valore. Scegliete il lotto che più vi aggrada e vi farò la mia proposta.»

«SceglIete voi» disse il padre ai due figli.

Ninabella e Michelangelo si avvicinarono ai due lotti con fare da esperti, toccarono e girarono le monete, si consultarono con due o tre sguardi rapidi ed entrambi indicarono il lotto più sostanzioso, quello alla sinistra di Giuseppe D'Amico.

«Bene» disse il professore. «Ora ho il dovere di comunicarvi che lo Stato avrebbe il diritto di prelazione, naturalmente pagando, sulla metà a voi spettante. Per scrupolo ho avvisato la soprintendenza competente, che però non è interessata all'acquisto sia perché ritiene il tesoretto privo di grande valore numismatico, sia perché non ha fondi disponibili per tali operazioni. Dunque, mi propongo io per l'acquisto con fondi personali, sicuro di farvi un piacere. Del resto sono un numismatico appassionato fin da ragazzo, posseggo circa milleduecento monete d'argento e di bronzo. L'altro lotto lo consegnerò al museo di Reggio Calabria domani stesso.»

«Certo, professore. Sappiamo tutti quanto siete onesto e corretto, anche mio padre buonanima. Quello che ci offrite, noi lo accettiamo...»

«Conosco il nobile scopo per cui volete vendere il vostro lotto e pertanto sono sicuro che apprezzerete la mia proposta. Tra l'altro, se l'acquisto fosse stato fatto dallo Stato non avreste ottenuto più di settecento lire, io invece sulla base del valore al mercato antiquario vi posso offrire il triplo: duemilacento lire, che vi potrei consegnare subito se concludiamo l'affare. Forse non basteranno per far studiare i vostri figli, però sono pur sempre una bella cifra.»

Gli Arcuri si guardarono inebetiti, non credendo alle loro orecchie: quella cifra non l'avevano mai posseduta in contanti, non sarebbero diventati ricchi, ma sicuramente avrebbero saputo come farla fruttare al meglio.

Arturo firmò, senza leggerle, tutte le carte che aveva preparato Giuseppe D'Amico. Pareva un automa. A dire il vero, quella somma gli sembrava esagerata, ma se un professorone onesto e competente aveva deciso così, voleva dire che era giusta.

Non appena il denaro pattuito sparì nella cassaforte tra i seni di Sofia, entrò la cameriera dei signori Sabatini con un vassoio pieno di bibite, liquori, biscotti e taralli, il perfetto suggello di una giornata memorabile.

Durante il rinfresco erano tutti finalmente rilassati. Il professore si complimentò con Ninabella, predicendole un grande futuro da pittrice e invitandola a Rovereto, patria di artisti famosi come Fortunato Depero; a Michelangelo raccomandò di studiare e di non deludere mai la sua famiglia, che per lui aveva e avrebbe fatto grandi sacrifici. Poi prese a fissare Arturo con uno sguardo estatico, così insistito da apparire imbarazzante, fino a che ne spiegò il motivo: «La invidio, sa, signor Arcuri. Lei è un uomo fortunato, ha una famiglia vera attorno a sé. È stato sbattuto su un'isola alla stregua di Filottete, ma un bel giorno è ritornato dai suoi a testa alta. Il confino non ha lasciato segni sul suo corpo e nei suoi occhi, anzi mi sembra più forte di quando l'ho conosciuta a Punta Alice».

Arturo sorrise lusingato, mentre la moglie arrossiva come se il complimento fosse stato rivolto a lei.

«Chi è Filottete?» domandò Ninabella.

«Te lo spiego dopo» rispose il fratello.

Era una giornata di maggio. Dalle finestre aperte s'intravedevano spicchi del Rossarco ricoperti di sulla fiorita e ne entravano ondate di profumo che gli Arcuri riconoscevano familiari.

«È il profumo misterioso della vostra collina, vero?» chiese il professore. Michelangelo assentì.

«Uno dei miei rimpianti è che ormai, all'età di quasi settantasei anni e nelle mie condizioni di salute, a meno di qualche miracolo, non credo che potrò portare a termine gli scavi per la ricerca di Krimisa, né quelli un po' più a nord di qui, a Sibari, iniziati con successo dal mio amico Umberto Zanotti-Bianco. Per uno come me, che ha dedicato ogni minuto della propria vita al lavoro, questa situazione è più dura della morte. Comunque, male che vada, vi manderò i miei bravissimi collaboratori e magari io seguirò le scoperte da lassù» e indicò il cielo solcato di rondini sopra il Rossarco.

Furono le ultime parole pronunciate dal professore. Al momento del commiato, prese dal suo lotto le due monete d'oro e le donò a Ninabella e a Michelangelo. Con il dito sulle labbra smorzò sul nascere qualsiasi parola di ringraziamento o richiesta di spiegazione. Poi si salutarono con un abbraccio commosso e muto, come tra vecchi amici consapevoli che non si sarebbero rivisti mai più.

20

Filottete fu l'arciere più famoso di tutti i tempi, così abile che con una freccia era capace di trapassare gli anelli allineati di ben dodici asce. L'arco e le frecce le aveva ricevute in dono da Eracle, il mitico Ercole delle dodici fatiche, perciò erano infallibili. Amando la bellezza più di ogni cosa, si era invaghito anche lui di Elena, la donna più affascinante della terra. Purtroppo ne era stato rifiutato e per questo aveva deciso di partecipare alla guerra di Troia con sette navi e cinquanta arcieri. Accadde però che durante una sosta fu morso da un serpente velenoso. Alla ripresa del viaggio la ferita divenne così puzzolente, i dolori così atroci e le grida così disumane che Ulisse e Agamennone ordinarono, ingiustamente, di abbandonarlo su una piccola isola disabitata. Grazie all'arco e alle frecce con cui andava a caccia di uccelli per cibarsi, Filottete riuscì a sopravvivere per dieci anni. La ferita però non guariva, né cessavano i dolori e i lamenti al vento. Finché Ulisse seppe da un oracolo che solo l'arco e le frecce di Eracle avrebbero potuto fargli vincere la guerra. Allora, con l'astuzia di cui era maestro, riportò Filottete a Troia e, come promesso, lo condusse da un medico famoso, che gli tagliò la carne putrida, lo disinfettò con vino e lo curò con impacchi di erbe misteriose. Finalmente guarito, Filottete uccise Paride a duello e fu determinante per l'esito della guerra a favore dei greci.

Ciò che più colpiva di Filottete non erano l'eroismo, le vittorie sul campo di battaglia, il mito che lo avvolgeva come un soffio caldo. Era invece il dolore sopportato per dieci anni, senza nessuno a consolarlo, se non i familiari che gli comparivano nei sogni. Era la brutta bestia della solitudine, resa più amara dall'ingiustizia subìta dai suoi stessi compagni di viaggio, a cui non si sarebbe mai rassegnato. Come il padre Arturo, concluse Michelangelo, che aveva raccontato a Ninabella questa storia. Come tutti gli uomini giusti, che i prepotenti isolano e privano del bene più prezioso: la libertà.

L'ingiustizia la si può combattere. La solitudine è una malattia subdola, non guarisce facilmente. Per sconfiggerla, dopo la guerra di Troia, Filottete divenne un ecista e fondò Makalla, forse Petelia, l'attuale Strongoli, Chone, l'attuale Cirò, e Krimisa, forse l'attuale Rossarco, alle spalle della Marina. E ogni volta scelse i luoghi dai profumi più inebrianti, lui che per dieci anni aveva respirato l'odore putrescente della morte.

«Chi ti ha raccontato tutte queste cose?» chiese Ninabella al fratello.

«In parte le ho studiate a scuola. Di Filottete parlano Omero, Sofocle, che gli ha dedicato una tragedia, Strabone e tanti altri. In parte me le sono immaginate da solo e forse le mie storie sono più vere di quelle tramandate dagli antichi, che spesso inventavano anche loro.»

Era difficile che Michelangelo si vantasse del suo sapere e della sua bravura scolastica. Infatti Ninabella colse la modestia del fratello nella naturalezza della voce e nello sguardo. Però non poté fare a meno di invidiarlo e glielo disse sinceramente: «Ti invidio per tutte le cose che sai. Non vedo l'ora di impararle pure io, quando andrò alla scuola superiore».

Ninabella era l'unica della sua classe che voleva proseguire gli studi dopo la quinta elementare, anche se la sconsigliavano tutti, le sue compagne, i parenti, la madre e la nonna: «Una ragazza seria deve rimanere a casa a preparare il corredo e maritarsi con un bravo giovine del paese quando viene l'ora». Neppure la sua maestra la sosteneva, ma per motivi diversi: diceva che Ninabella era una ribelle nata, non aveva voglia di sudare sui libri, non capiva niente di matematica, era piuttosto mediocre in italiano, sapeva solo disegnare, un dono del cielo che non le richiedeva nessuno sforzo. «Secondo me, non supererai nemmeno l'esame di ammissione» le aveva predetto quell'uccello di malaugurio della signorina maestra, una zitella acida di Spillace che aveva cercato invano di ammansirla fin dalla prima elementare.

Per Ninabella, però, la più grande delusione era il padre, che non si esprimeva chiaramente. Che al massimo le diceva: «Non ho detto no, aspettiamo che superi la quinta e poi vediamo».

Lei aspettava con le lacrime agli occhi. Che doveva fare? Con la madre e la nonna riusciva a litigare in maniera feroce, le chiamava arretrate, cattive, persino ciòte, buscando qualche schiaffettone sul muso, e in fondo le commiserava. Con il padre invece non riusciva ad aprire bocca, aveva paura di ferirlo, però non capiva la sua incertezza.

Quando arrivò il momento di iscriversi agli esami di ammissione, Arturo le regalò una grande tavolozza con i colori a tempera, pennelli di forme diverse, metri di tela arrotolata e un cavalletto. «Tutta roba da veri pittori» disse. «L'ho presa per te a Crotone.» Ninabella lo abbracciò grata e contenta. Mai e poi mai immaginava che il padre sarebbe stato capace della frase successiva: «Mo' hai quello che ti serve per fare la pittora. Ci hai talento, lascia perdere la scuola, non ti serve a niente, per una femmina è una perdita di tempo e di denaro. E un giorno, quando avrai una bella famiglia, mi ringrazierai».

Ninabella si staccò dal padre come una naufraga priva di forze da uno scoglio. Evitò di aggrapparsi alla madre e alla nonna che la guardavano con un sorriso di vittoria sulle labbra e abbracciò il fratello prima di affogare in un mare di lacrime.

All'inizio Michelangelo rimase imbarazzato, muto. Poi guardò i suoi familiari negli occhi, uno dopo l'altro, senza paura, e parlò con foga e determinazione: «Ma come, fate le promesse e poi ve le rimangiate? Volete tradire la parola di nonnò data davanti al maestro Tavella? Avevate detto che Ninabella avrebbe studiato come me, se c'erano i soldi. Ora i soldi li abbiamo, grazie a nonnò e a papà che lavora e guadagna. E in più Ninabella potrebbe venire ad abitare nella mia pensione, iscriversi alla mia scuola, studiare sui miei libri. Il risparmio sarebbe assicurato e la vostra coscienza pulita».

«Ho proprio un figlio sperto. Che si sente già un signor maestro e ci fa pure una bella lavata di capa. Ma, fino a prova contraria, il padre di questa famiglia sono io, e io decido, sempre, capito?»

Michelangelo stava per scoppiare di rabbia, però non rispose.

«Comunque, se il signor maestro Michelangelo Arcuri si prende la propria responsabilità di fratello maggiore, per me Sofia Antonia può studiare a Catanzaro. Affare fatto» concluse il padre con tono ironico, per sdrammatizzare e uscire a testa alta dall'ombra sporca in cui si sentiva ricacciato dalle parole del figlio.

La madre e la nonna scossero la testa rassegnate; invece Ninabella tornò ad abbracciare il padre. Poi, commovendo un po' tutti, gli offrì la sua moneta d'oro: «Questa la puoi vendere, se hai bisogno di soldi per la mia scuola».

Il padre le strinse la mano a pugno con dentro la moneta: «No, ti appartiene e non la devi mai vendere nemmanco da grande, è un pezzettino della nostra terra che porterai con te ovunque andrai».

Ninabella sorrise: era quello il modo di parlare e di agire del padre che lei aveva sempre sognato.

21

Il giorno dopo erano sul Rossarco a faticare, Arturo e il figlio. Fino all'ora del morsello, il padre non parlò. Tagliava le erbacce a colpi di falce fienaia, secchi e rabbiosi come se stesse tagliando teste di serpenti indiavolati. Michelangelo lavorava a debita distanza, convinto che il padre ce l'avesse ancora con lui per la storia di Ninabella.

A metà mattina si sedettero sotto un ciliegio a mangiare una mezza pagnotta farcita di salsiccia piccante. Era una bella giornata di giugno, il padre chiuse gli occhi e girò la faccia verso il mare, porgendola al sole. «Devo parlarti» disse all'improvviso. Non pareva più arrabbiato. Michelangelo smise di mangiare. «I due uomini scheletriti che il professore ha trovato scavando nella nostra collina, io li avevo visti da bambino, mort'ammazzati proprio nel posto dove mo' ci troviamo noi.» Poi raccontò il bagno nel vullo con i fratelli, gli spari, la fuga verso la cima, l'incontro con la madre agitata e l'occhio aperto di uno dei due morti che per anni lo aveva spagnàto sul Rossarco e nei sogni. L'altro aveva la faccia sull'erba, altrimenti Arturo lo avrebbe riconosciuto. Soltanto al ritorno dal confino aveva saputo che era un delinquente del paese, ubriacone e vagabondo, fratello di un suo compagno di scuola.

Michelangelo si fece coraggio e gli chiese: «Perché, pa', li hanno ammazzati quassù? E, secondo te, chi sono i micidianti?».

«Non lo so, Michè. Me lo sto chiedendo da anni e non trovo una risposta. Forse la mamma aveva visto qualcosa, macàri delle ombre che scappavano, ma lei ha negato, e hai voglia a insistere con quella capatosta, tu la conosci, no?» Per qualche secondo il padre restò con gli occhi sbarrati da bambino, come se avesse davanti i due morti uccisi sull'erba rossa. «E poi la mamma mi ha fatto giurare che non dovevo raccontarla a nessuno, questa storia...»

«Neppure a me?»

«A nessuno... ma tu sei figlio mio, sangue del mio sangue. Tu devi sapere tutto di me e del Rossarco. Sempre. E un giorno lo racconterai ai figli tuoi. Solo così la storia nostra non verrà scancellata dalla faccia della terra, solo così non moriremo mai completamente.»

Era la seconda volta nell'arco di due giornate che il padre si fidava di lui. Michelangelo lo avrebbe abbracciato, se ne avesse avuto il coraggio. Si alzò, raccolse le ciliegie più grosse e mature e gliele offrì in segno di gratitudine e di affetto.

Alla chiusura delle scuole, Michelangelo tornò di rado a lavorare sul Rossarco. «È più importante che dai una mano a tua sorella per la scuola grande» gli raccomandava il padre.

Così, grazie all'aiuto del fratello che sapeva spiegare meglio di un vero maestro, Ninabella riuscì a superare l'esame di ammissione all'istituto magistrale inferiore di Catanzaro, alla faccia acida della sua signorina maestra.

Alla pensione dormiva in una cameretta tutta per sé, ma i primi tempi stava spesso da Michelangelo, che aveva una stanza più ampia, e con lui studiava e mangiava. Ogni tanto uscivano sul corso, che si trovava a cinque minuti dalla via Scalfaro dove abitavano. Lo scopo era prendere un po' d'aria e sgranchirsi le gambe, ma al fratello non sfuggivano gli sguardi ammirati dei maschi che lei, precoce in tutto, attirava come un nugolo di api. Era diventata davvero incantevole: alta, gli occhi sognanti, i seni già prorompenti e i capelli a onde della madre, le labbra e il sorriso del padre che si aprivano al disincanto scoprendo i denti perfetti, bianchissimi. Camminava a testa alta, abbastanza consapevole dell'effetto che suscitava al suo passaggio.

Solo questa civetteria, neanche tanto esibita, infastidiva il fratello. Più che gelosia, però, sentiva il peso della responsabilità che gli aveva accollato il padre, e da padre severo e affettuoso si comportava: le controllava i compiti, glieli correggeva, la interrogava prima delle prove, le sceglieva persino le compagne di scuola con cui andare a messa la domenica mattina.

Ninabella rideva di questa sua serietà da adulto, ma gli ubbidiva perché gli era grata fino al midollo. Tuttavia, a differenza del fratello che procedeva a gonfie vele verso il diploma magistrale, lei veniva promossa con voti solo sufficienti, se si esclude il dieci fisso in disegno e storia dell'arte, l'unica materia che le interessava veramente. Per il resto si sentiva soffocata dalla rigidità della scuola e dall'astrazione delle discipline e, se non fosse stata così ambiziosa e ben accetta alle compagne, si sarebbe ritirata dopo il primo anno.

In fondo si sentiva più libera quando assieme al fratello tornava per le feste a Spillace. Caricava sul mulo il cavalletto e l'occorrente per dipingere e saliva con la famiglia sul Rossarco. Si piazzava in posti sempre diversi a seconda delle stagioni; poi dipingeva il mare, il faro di Punta Alice circondato dagli eucalipti piantati dal padre, le colline che come gradini tondi di una scalinata s'inerpicavano fino a Spillace, le montagne azzurre della Sila, il cielo basso sull'orizzonte sorvolato dai gabbiani o dalle rondini.

Con gli anni le tele si accumulavano nella casella, dietro le balle di fieno. Ninabella le considerava delle prove, non era mai soddisfatta, mentre i familiari restavano incantati e ogni tanto la madre prendeva una tela, la faceva incorniciare dal falegname in cambio di un doppio litro di vino o di olio e l'appendeva alla parete della cucina o della stanza da letto. «Mo' abbiamo una casa da signori: nemmanco don Lico ha quadri accussì belli» diceva orgogliosa.

Ninabella non si montava la testa né in famiglia né fuori con le sue amiche d'infanzia, che ammettevano candidamente di invidiarla, non tanto per il talento di pittora quanto per la sua vita libera nella città di Catanzaro. Lei rideva e poi sussurrava la descrizione degli studenti catanzaresi, puliti, profumati ed eleganti, molti erano figli di avvocati e dottori, tutti ricchi di soldi e di salute e di bellezza, i più belli della Calabria, secondo lei.

«Dài, racconta, racconta, ti hanno fatto la dichiarazione, ti sei innamorata di qualcuno, come si chiama il fortunato?» le chiedevano, continuando a ricamare fiori azzurri e i propri nomi sui cuscini del corredo.

«Deve ancora nascere quello che mi farà innamorare. Gli uomini sono quasi tutti fetenti, vogliono una cosa sola da te» rispondeva maliziosa e di nuovo rideva a cascate incontenibili, contagiose, tra i suoi denti bianchissimi. E quando le amiche si mostravano appagate, le gote stanche dal tanto ridere, Ninabella fissava i fiori dei cuscini con uno sguardo assente, lontano. Come se già da allora fosse proiettata oltre gli stretti confini di Spillace e Catanzaro: verso il mondo grande che sognava.

Sogno

Era un sogno di una sola immagine, come quelle dai colori sgargianti che dipingeva Ninabella: la collina, vista dall'alto di un aquilone in volo, pareva un'isola sfarzosa, chiazzata di macchie rosso porpora e circondata a est dal mare e a ovest dall'alveo di una fiumara luccicante di pietre e d'acqua a rivoli dai riflessi rossastri.

Gli occhi di mio padre ammiravano la scena immersi nel verde lucente dell'ulivo gigante. Più che un sogno sembrava la proiezione di una diapositiva a colori, una luce inanimata sopra un muro buio, se non fosse per il profumo che liberava nell'aria. I luoghi si fanno vivi anche con i profumi, ha detto mio padre. E con il vento, naturalmente, che è la voce della loro verità.

Il vento era forte pure nel sogno, al punto che l'aquilone ha perso quota e ha cominciato a cadere in picchiata. E più si avvicinava alla collina più s'ingrandiva, diventava un'aquila gigante, un biplano, un aereo col muso enorme, la smorfia minacciosa, a pochi metri dal suolo.

Mio padre si è svegliato prima dell'impatto, con la percezione che una scena del genere l'aveva vista realmente un giorno di novembre del 1941. Ancora stordito dal profumo, ha aperto il portoncino della casella e ha visto l'ulivo gigante al suo posto e le fronde dei lecci che tremolavano brillando al sole del mattino. Il Rossarco era salvo per miracolo, ha concluso mio padre.

«Non riesci a staccarti dalla collina nemmeno quando dormi» gli ho detto sorridendo.

«Nei sogni si nasconde la verità da cui non puoi sfuggire, anche se non la capisci fino in fondo» ha risposto serio.

Ho ripensato ai suoi amici di Spillace che quel giorno, offrendomi il caffè al bar Roma, avevano ripreso a punzecchiarmi su mio padre, sul suo autoesilio per loro incomprensibile: «L'abbiamo visto stanco, gli occhi da spirdato, l'ultima volta ch'è venuto a Spillace a pigliarsi le sigarette e la pasta. Non è ch'è malato? Perché non lo porti da un bravo specialista dalle tue parti, in Trentino?». E poi ho ripensato all'ultima telefonata di Simona: «Cerca di convincerlo a tornare in paese, almeno nel periodo in cui ci sei tu. È vecchio, non può vivere isolato dal mondo, se gli succede qualcosa nella notte, non ha nessuno che lo possa aiutare».

Potevano capire, gli altri, il sogno di un luogo dal profumo misterioso? Non avrebbero riso di fronte alla verità del vento? Agli amici di mio padre avevo risposto: «Grazie del caffè». A Simona, un elusivo: «Va bene, ci proverò». Ed ero salito da lui.

Di solito lo trovavo indaffarato nell'orto; a volte sentivo da lontano un suono ipnotico, simile alla risacca del mare, al suo eterno andirivieni. Mio padre stava suonando la chitarra battente seduto a gambe incrociate, la schiena appoggiata al tronco dell'ulivo gigante, gli occhi socchiusi, e cantava rapito: «Rondine albina / di giorno penso a te sulla collina / di notte ti vorrei a me vicina / Rondine albina».

Lo vedevo più adesso che quando abitavamo nella stessa casa a Spillace. Mi mostrava i peperoncini, così copiosi e piccanti che sarebbero bastati a infuocare la sardella di tutta la Marina, o i rami dell'ulivo gigante carichi di ben cinque varietà di olive. «Tre le ha innestate mio padre e due io, da giovane» diceva compiaciuto. «L'olio che do a voi lo faccio da questo ulivo e da quei sette più piccoli, che sono figli suoi, nati dalle sue radici: è biologico al mille per mille, come piace a tua moglie, e inoltre ha il profumo dei fiori di quassù.»

A pochi passi dall'ulivo gigante cresceva un rosaio superbo che fioriva tutto l'anno; più avanti luccicava una grossa pietra, tonda come un pane. «È la chjatra sotto cui nonno Alberto ha tenuto nascoste le monete» aveva detto mio padre e, dopo averla girata sulla parte piatta, mi aveva posto una domanda da maestro: «Cos'è questo segno inciso qua?». Era semplice: «Una kappa». E da attento scolaro avevo ascoltato la sua spiegazione: «Bravo. È la kappa di Krimisa, secondo tua madre, anche se Paolo Orsi non ne era sicuro: potrebbe essere la kappa di Kroton o l'iniziale di un nome o l'incisione sulle pietre più tonde a opera di un pastore che si annoiava. In passato se ne trovavano tante, lungo la fiumara, e i tre fratelli Arcuri si dilettavano a cercarle, prima della Grande Guerra, e le più belle le portavano quassù».

Poi camminavamo senza una meta precisa. Le zolle riarse si spappolavano sotto i nostri piedi sollevando mulinelli di polvere crepitante.

Il giorno del sogno siamo arrivati sull'orlo del pianoro. Faceva ancora caldo, benché il sole fosse già tramontato; la brezza marina riusciva appena a lambirci la faccia come una lieve carezza fresca. Da lì si vedevano nitidi la linea ferroviaria a un unico binario, il faro di Punta Alice, il bosco di eucalipti piantati da nonno Arturo e un tratto di spiaggia punteggiato da ombrelloni ormai chiusi. Più a sinistra lo stabilimento della Montedison era un pugno nell'occhio. I resti del tempio di Apollo Aleo erano seppelliti dall'erba secca e accanto pascolavano una decina di cavalli e puledri. Sulla nostra destra, in direzione di Melissa e di Strongoli, ronzavano pigre le pale degli aerogeneratori che affioravano come miraggi tra le colline gialle di stoppie attorno a Spillace.

A un passo da noi cominciava a digradare il versante del Piloru. In estate era il più brullo e desolato della collina, su cui si stagliavano cespugli impolverati di lentisco e ginestra, due o tre filari di viti e qualche albero piegato dal vento. Per puro caso, dietro un piccolo dosso ricoperto di erica e di cisto, ho scorto dei rettangoli di terra smossa. «Ecché, è cominciata un'altra campagna di scavi e non mi hai detto niente?» mi è uscito di botto. Non c'era rimprovero nella mia voce, ma sorpresa mista a incredulità.

«Che ti dovevo dire? È uno scavo alla buona. Lo faccio per papariàre, ho tanto tempo libero da quando vivo qui. Lavoro qualche ora all'alba con l'aiuto degli amici marocchini. E un po' la sera, quando ne ho voglia e non sono troppo stanco.»

«Almeno hai trovato qualcosa di prezioso?»

«Finora niente. Comunque non dispero.»

Sono sceso con lui nella nuova area scavata e intanto mi sono guardato attorno. «Scusa, pa', non vedo i sepolcri dell'antica Krimisa scavati da Paolo Orsi. Dove sono?»

Lui mi ha risposto con altre domande spiazzanti: «Chi ha ucciso quei due uomini trovati scheletriti in una tomba? Perché? È questo che vuoi sapere, vero?». Erano domande che poneva a se stesso, pensieri ad alta voce dati in pasto al vento. «Ti confesso» ha aggiunto «che l'ho saputo molti anni dopo, quando avevo quasi scordato la scoperta degli scheletri perché nel frattempo erano successi fatti che avevano offuscato le storie precedenti.»

«Quali fatti?» gli ho chiesto incuriosito.

«Fatti successi dopo la caduta dell'aereo, quando ero un giovane maestro che sognava di cambiare il mondo e tua madre non era ancora scesa da Torino a farmi innamorare e a rompermi i coglioni.»

22

Il rombo sconosciuto degli aerei cominciò a echeggiare tra le colline del Marchesato pochi mesi dopo l'entrata in guerra dell'Italia, il 10 giugno del 1940. Erano squadriglie inglesi che bombardavano il porto, la ferrovia e le industrie di Crotone, le uniche della Calabria. Sospinti dal vento autunnale, i boati delle deflagrazioni di quelle bombe a grappoli si sentivano anche nella piazza di Spillace.

Arturo, in mezzo a un crocchio di uomini, indicava le nuvole di fumo nero che coprivano l'orizzonte e sporcavano il mare. «Questa guerra fascista sarà la rovina dell'Italia» diceva tra le mitragliate vacue della contraerea e ammetteva: «Non immaginavo che sarebbe arrivata così presto a casa nostra».

Nessuno se l'immaginava, convenivano i suoi compagni, forse nemmeno Mussolini. L'ultima cantonata che aveva preso, convinto di partecipare a una guerra già vinta dai tedeschi e di spartirsi i territori occupati e la gloria.

I bombardamenti si intensificarono l'anno successivo e provocarono decine di morti e feriti tra la popolazione civile di Crotone, oltre allo sfollamento di numerose famiglie che trovarono accoglienza nei paesi dei dintorni, Spillace compresa.

Quando Arturo seppe che era stato bombardato il circondario di Catanzaro chiese al figlio di accompagnarlo alla pensione: «Andiamo a prendere Sofia Antonia, la portiamo a casa nostra che è più al sicuro». E confessò: «Da quando è scoppiata quest'altra guerra non dormo più, mi sembra di stare con i piedi nelle trincee del Lagorai e con la testa nella paura che prima o poi pallottole e bombe colpiscono voi figli innocenti».

«Non devi preoccuparti per noi, ohi pa', la guerra non sfiorerà mai un piccolo paese fuori dal mondo come Spillace» tentò di tranquillizzarlo Michelangelo. Aveva vent'anni. Si era diplomato maestro l'estate precedente e aspettava di partecipare al concorso per l'insegnamento. Nel frattempo, d'accordo con la famiglia, si era iscritto all'università di Messina con lo scopo di rinviare il servizio militare ed evitare per qualche anno un più che probabile coinvolgimento nella guerra.

Ninabella accettò volentieri quella vacanza fuori stagione. Del resto, da quando Michelangelo aveva ultimato gli studi, lei a Catanzaro si annoiava e il suo passaggio all'istituto magistrale superiore si stava rivelando talmente disastroso nel profitto di troppe materie importanti, che aveva pensato di ritirarsi e ogni volta erano stati il suo smisurato orgoglio e le lettere di incoraggiamento del fratello a farla desistere.

La domenica andava in chiesa con le coetanee vicine di casa, per pregare tutti i santi che la guerra finisse. Non aveva ancora compiuto diciott'anni, l'età in cui avrebbe raggiunto il suo massimo splendore. Eppure l'effetto che provocava nell'attraversare la piazza di Spillace era, se possibile, più esplosivo rispetto a Catanzaro e veniva sottolineato da una scarica di commenti alle sue spalle: «Che bella! Che bonazza! Che arrapante! Che occhi da madonna! Che fianchi da puledra! Che capelli da fata!».

I giovani vedevano in lei la bellezza schietta della madre, con in più un alone che li respingeva come un cerchio di fuoco. Era il rispetto o addirittura il timore reverenziale nei confronti dell'unica ragazza di Spillace che studiava in quegli anni e che pertanto era ritenuta irraggiungibile pure nel più roseo dei sogni. Lei camminava svagata o restava immobile in chiesa come le altre madonne di gesso, assorbendo senza nessun fastidio gli sguardi avidi dei maschi e quelli gelosi delle femmine.

Se il tempo era bello si recava con il resto della famiglia sul Rossarco e, mentre gli altri lavoravano sodo, dipingeva dalla mattina al pomeriggio. Il padre aveva dato ordine di non disturbarla e perciò nessuno dei familiari si sognava di chiederle una mano, nemmeno se schiattavano dalla fatica. Ninabella aiutava, di sua spontanea volontà, solo durante la vendemmia e la raccolta delle olive. Era abile e veloce più del fratello, ma naturalmente non poteva competere con gli altri familiari allenati ai lavori agricoli da una vita. Persino la nonna, nonostante le continue pause per riposare la schiena e le imprecazioni contro la vecchiaia e l'artrosi, raccoglieva quanto i due nipoti messi assieme.

Fu lei, nonna Sofia, ad accorgersi dell'aereo che all'improvviso aveva virato verso la collina. Si stava stiracchiando per l'ennesima volta, il figlio batteva i rami dell'ulivo gigante con una pertica e gli altri raccoglievano le olive a testa bassa, in ginocchio. Nessuno faceva caso al rombo degli aerei che attaccavano il porto di Crotone. Ormai quei bombardamenti erano diventati un ronzio da sciame di vespe che ti passa accanto, fastidioso ma innocuo, e si perde nel mare. «Gesù-Giuseppe-Maria!» gridò la vecchia agitando la mano aperta in aria, come se volesse bloccare il muso dell'aereo che si avvicinava minaccioso.

Guardarono tutti in direzione del rumore che in pochi secondi era diventato assordante. Arturo aveva la chioma dell'ulivo gigante davanti agli occhi, non vedeva che bagliori di lamiera, però capì al volo e urlò: «Giù, giù, per terra!» tuffandosi sul lago di olive che lui stesso aveva abbacchiato con la pertica.

L'aereo colpì con un'ala la cima morbida dell'ulivo provocando una pioggia di rametti, foglie e olive, che in parte cadde sulla famiglia Arcuri sdraiata per terra, le mani a proteggere istintivamente la testa. Poi, in un disperato tentativo di atterraggio, cominciò a saltellare come un grillo azzoppato e alla fine del pianoro, con un allungo da brivido, fu sopra il bosco. Per un tratto proseguì la sua corsa con la carlinga affondata dentro le chiome dei lecci. Infine rallentò in un fragore di rami spezzati, arrestandosi di colpo davanti al burrone di Timpalea, il muso e le ali in bilico sul vuoto.

Ninabella e Michelangelo furono i primi ad alzarsi con l'intenzione di raggiungere l'aereo. Il padre li fermò: «Aspettateci, può essere pericoloso». Poi corse a prendere il suo fucile da caccia nella casella, ordinò: «Venite tutti dietro a me» e si addentrò nel bosco di Tripepi, seguito in fila indiana dalla sua famiglia.

Arrivati nelle vicinanze della Timpalea, videro il pilota che usciva dall'aereo. Pareva ubriaco, barcollava a ogni passo e si guardava attorno con gli occhi sbarrati di chi ha visto la morte in faccia e non si è ancora convinto di essere vivo. Vivo per miracolo. Era giovane, alto e magro. Aveva i capelli chiari appiccicati sulla fronte insanguinata. Sanguinava pure dallo zigomo destro e continuava a muovere la testa a scatti, alla ricerca di un punto di riferimento che non trovava, finché vide il fucile puntato contro di lui. D'istinto alzò le mani al cielo lamentandosi debolmente in una lingua sconosciuta; Arturo gli si avvicinò senza abbassare l'arma e gli chiese: «Come vi chiamate, da dove venite?».

Per tutta risposta l'uomo farfugliò qualcosa con voce impaurita e dopo un attimo crollò a terra.

«È un pilota inglese o almeno uno che parla inglese...» ipotizzò Michelangelo.

«Povero figlio, è morto?» chiese Sofia con il fiatone.

«Non credo, sarà svenuto» disse Arturo, gli appoggiò due dita sul polso sinistro e confermò: «È svenuto, portiamolo dentro». Consegnò il fucile al figlio, afferrò lo sconosciuto per le ascelle e lo trascinò fino alla casella.

Quando l'uomo si riprese vide una ghirlanda di teste sopra di sé. Richiuse gli occhi, li riaprì a fatica. Si toccò il ginocchio con una smorfia di dolore. Indugiò poi con lo sguardo sul viso luminoso di Ninabella che gli offriva da bere e le sorrise con dolcezza come se avesse visto la Madonna. Finalmente aveva capito di essere salvo e fortunato, quelle persone erano dei civili pacifici, forse contadini. Gli uscì una voce flebile, quasi un sussurro: «My name is William Winton».

«Che dice?» chiese nonna Sofia che non aveva sentito.

«Ha detto il suo nome: William Winton» rispose Ninabella. Poi, rivolta al pilota, cominciò a presentare i familiari in rispettoso ordine di età e, mentre stava indicando il fratello, si interruppe perché aveva sentito il frastuono di un motore che scoppiettava sempre più forte.

«Presto, nascondetelo dietro le balle di paglia» ordinò Arturo alla madre e alla moglie. E uscì fuori, accompagnato dai figli.

Era una camionetta, la prima che saliva sul Rossarco. Si fermò davanti alla casella. Ne scesero quattro militari, tre erano armati di fucile e uno stringeva una pistola in pugno. Fu quest'ultimo a parlare: «Dove aereo inglese caduto? Vivi nemici?». Aveva un accento tedesco, doveva essere il capo di quella pattuglia che dai colori delle uniformi sembrava nazifascista.

«È laggiù, l'aereo, sfracellato, vicino alla timpa. È caduto mezz'ora fa» rispose Arturo.

«Avete visto pure l'equipaggio?» chiese uno dei militari italiani.

«Era solo uno, il pilota. Tutto insanguinato, più morto che vivo. L'abbiamo visto scendere dall'aereo come un ubriaco. Poi è sparito. Forse è caduto nel burrone o è entrato nella boscaglia, diretto verso il mare» intervenne Ninabella con una prontezza che sorprese il padre e il fratello.

I militari corsero verso l'aereo. Uno entrò nella cabina e gli altri tre si misero sulle tracce del nemico inglese.

Gli Arcuri li videro ritornare dopo circa un'ora, sudati e scontenti. Il tedesco aveva in mano delle carte prelevate dalla cabina, gli altri dicevano: «Sembra sparito nel nulla. Andiamo con la camionetta sulla strada della Marina, forse lo troviamo lì che cerca una via di fuga». Comunque, vollero entrare anche nella casella con la scusa di chiedere un po' d'acqua e trovarono Sofia e Lina, affaccendate a selezionare le olive più grosse da mettere in salamoia.

Quando i militari partirono, Arturo spostò le balle di paglia e vide William che dormiva sdraiato sulle tele di Ninabella.

«Non so come faremo a nasconderlo. Ma non possiamo consegnarlo a quei farabutti, saremmo complici di un crimine...» disse Arturo.

«Però, se lo scoprono, ci fanno del male pure a noi...» replicò la moglie impaurita.

«E noi non ci faremo beccare. Il Rossarco è grande abbastante e isolato. I militari potrebbero tornare un'altra volta per controllare meglio. Dopo ci lasceranno in pace e appena l'inglese guarisce sarà libero di volare via come una rìndina.»

I figli e la vecchia madre annuirono, d'accordo con Arturo. Lina si fece cupa in volto ma non aggiunse nulla.

«Adesso continuiamo a raccogliere le olive. Facciamo finta che non è successo niente. Ci comportiamo normale, come sempre. E il povero pilota lo lasciamo dormire tranquillo fino a domani.»

23

C'erano degli spicchi di collina ben visibili dalla piana costiera al mare e, con una vista lunga, da Cirò e da Spillace. «In questi pizzi qua, tu non ti devi affacciare nemmanco con il naso» aveva spiegato Arturo a William, sottolineando le parole con eloquenti gesti delle mani. L'inglese era sveglio, aveva risposto di sì con un sorriso.

Come previsto, una squadra di nazifascisti era ritornata sul Rossarco il giorno dopo, stavolta con due camionette. Alcuni avevano setacciato il bosco di lecci ed erano scesi lungo il letto della fiumara cercando eventuali tracce di sangue sulle pietre fino alla foce, altri avevano smanettato fuori e dentro l'aereo in bilico sopra la Timpalea.

Arturo aveva lasciato la porta della casella volutamente spalancata per non destare sospetti e solo un militare si era preso la briga di entrarvi, più per scrupolo che per convinzione.

L'inglese se ne stava senza fiatare dietro le balle di paglia, seduto sulle tele di Ninabella, il cuore più rumoroso dei passi fugaci che aveva sentito avvicinarsi e allontanarsi nell'arco di pochi, lunghissimi secondi.

Alla fine i militari erano ripartiti con un bottino di pezzi del motore, che potevano servire come ricambi. Lina e la suocera avevano fatto il segno della croce.

Stando alla previsione di Arturo, che difficilmente in queste cose si sbagliava, d'ora in avanti l'inglese poteva dormire sonni tranquilli. Tuttavia, per precauzione, gli avevano fatto indossare dei pantaloni da lavoro, una camicia di lino e una vecchia giacca di Alberto. I vestiti gli stavano un po' larghi e corti ma lo camuffavano abbastanza bene. Inoltre, con la coppola che gli copriva i capelli chiari e la fronte ferita e gli adombrava il viso già cotto dal sole, agli occhi di un estraneo sarebbe sembrato un bracciante agricolo forestiero, assunto a giornata dalla famiglia Arcuri, come talvolta capitava.

L'inglese stava recuperando in fretta, grazie anche al cibo gustoso che gli portavano da casa: camminava zoppicando appena, le ferite alla testa e allo zigomo si erano cicatrizzate, il ginocchio non gli doleva più e, dopo una settimana, già si sforzava di aiutare Arturo nei lavori agricoli. A dire la verità, si capiva che in vita sua non aveva mai tenuto una zappa in mano, però era giovane, imparava presto e soprattutto non si tirava mai indietro quando si trattava di trasportare sacchi pesanti di olive sulle spalle. «Mino tiene la forza di un mulo» diceva Lina con ammirazione.

Gli Arcuri lo avevano ribattezzato Mino su suggerimento di Michelangelo, per paura che a qualcuno di loro sfuggisse il nome inglese e il loro segreto venisse scoperto. C'era dunque una perfetta complicità familiare che proteggeva William/Mino in un bozzolo caldo, come un figlio, come un fratello. E lui ne era consapevole e ricambiava sfiancandosi di fatica senza mai lamentarsi, salutando gli Arcuri ogni mattina con una stretta di mano calorosa e ogni sera con un grazie commosso, la prima parola che aveva imparato. Poi si rintanava nella casella.

Di sera accendeva l'antica lumiera a olio, trovata scavando con Arturo un fossato per lo scolo dell'acqua piovana, e spesso scriveva ai suoi familiari lunghe lettere, che ovviamente non venivano spedite: sarebbero state facile preda dei fascisti, con il rischio reale di farsi scoprire, di essere fucilato e cacciare nei guai pure i suoi custodi.

«Scrivo per ricordare a me e a loro questi giorni, se no volano via con il vento» spiegava Michelangelo in maniera più chiara l'italiano strozzato di William. Il suo sforzo di parlare nella loro lingua era molto apprezzato dagli Arcuri, che però lo capivano a sprazzi, per il marcato accento inglese con cui pronunciava le parole italiane. Con il trascorrere delle settimane Ninabella e Michelangelo erano diventati i suoi interlocutori preferiti, perché da loro si sentiva compreso meglio e imparava di più.

Dopo la raccolta delle olive, che era durata fino a metà gennaio, sul Rossarco ci andava Arturo, e solo se non pioveva, con il morsello doppio da condividere con William. La presenza costante degli altri familiari avrebbe insospettito i compaesani, visto che con la brutta stagione non c'erano grossi lavori da fare in campagna.

«Come sta Mino? Che combina? Gli è piaciuta la salciccia? E la sardella sul pane fresco? E la frittatica con gli asparagi servatici? E la peperonata con cipolle e patate della nostra campagna? E il vino nuovo? Che dice Mino? Ha imparato qualche altra parola nostra? Lo hai salutato da parte mia?» chiedevano ad Arturo i familiari, Ninabella arrossendo quando il padre le ricambiava i saluti di William e rispondeva alla raffica delle domande: «Sta bene, come deve stare?, è giovane e sanizzo, mangia con appetito, si lecca le dita ogni volta e fatica come un dannato. Gli sto insegnando a zappare, svitignare, potare, rampare, e pure a giocare a carte, tressette, scopa, briscola e il solitario: impara svelto, è sperto abbastante. Al vino nostro però non è abituato, se ne beve due dita diventa un pomodoro, canta *'O sole mio* all'inglese e promette che dopo la guerra ci invita a casa sua a Londra, ha una casa grande in periferia, il padre è ingegnere, la madre medichessa, sono ricchi, ha un fratello più grande che fa il militare chissà dove e una sorella più piccola. Quando torna in Inghilterra vuole fare il pilota civile e girare il mondo. Dice che la collina gli sembra il paradiso, ne sente il profumo, ha una nasca niente male per uno di lontano piovuto dal cielo, e la sera, dice, sdraiato sulla paglia ascolta il vento cantatore che gli tiene compagnia, quasi gli parla. È sensibile come una femminella, 'sto giovinotto nostro, forse troppo. La voce del vento è uguale in ogni posto, dice. E qui si sbaglia, secondo me, si sbaglia assai».

A parte quest'ultimo appunto, si capiva che Arturo aveva in simpatia il giovane inglese e perciò era dispiaciuto ogni volta che il brutto tempo lo tratteneva a Spillace.

«Cosa farà tutto il giorno da solo, povero figlio» si chiedeva Sofia quando pioveva e la famiglia Arcuri stava seduta davanti al focolare a mangiare caldarroste e frittelle.

«Scrive, nonna, pensa o dorme, non è un bambino cacarellùso che ha paura di un po' di fulmini e surrescate» rispondeva Ninabella. E pure Arturo rassicurava la madre: «Non preoccuparti, ohi ma', ha pane e companatico per una settimana, non muore di fame né di solanza».

A volte il tempo si guastava a metà giornata, senza preavviso. Il cielo si oscurava e cominciava a diluviare. Sulla collina sferzata dal vento e dalla pioggia arrivava il ruggito del mare e le onde diventavano sempre più alte e sporche, l'acqua pareva un vomito marrone, divorava la spiaggia, avanzava frastagliandosi oltre il bosco di eucalipti, inondava le rovine del tempio di Apollo Aleo e le baracche dei pescatori. Le scariche di tuoni e lampi sopra l'orizzonte facevano paura più dei bombardamenti e della contraerea che illuminava le nuvole nel cielo di Crotone.

In quei giorni di diluvio improvviso Arturo era costretto a ripararsi nella casella per tutta la notte e quando ritornava dai suoi diceva: «Il Rossarco sembrava succhiato dall'inferno, ho avuto paura che franasse dentro il mare con tutta la casella e noi insieme».

«E Mino?»

«Lui era più tranquillo di me, è più abituato al malotempo. Ha voluto giocare a carte tutt'a jornata. Più perdeva e più voleva giocare, non si arrendeva mai. Capatosta come noi.»

Fu un inverno di attese per gli Arcuri: che finisse la guerra, innanzitutto; che Michelangelo venisse convocato per insegnare in qualche scuola dei dintorni, sperando di non ricevere ancora la cartolina di precetto militare; che arrivasse la primavera per salire tutti insieme sulla collina finalmente rossa.

In particolare Ninabella aspettava il bel tempo per dipingere le bellezze della "collina rossa", come cominciò a chiamarla. Non solo, voleva rivedere William e fargli un ritratto prima che se ne andasse via per sempre, riuscire a catturare sulla tela la profondità del suo sguardo azzurro. Aveva svelato questo desiderio ai suoi familiari e nessuno aveva avuto da ridire, anzi, tutti pensavano che fosse un'idea geniòsa, «brava Ninabella, così ci ricordiamo di Mino quando lui tornerà a casa sua, se Dio vuole».

Soltanto la madre aveva intuito che sotto la cenere di quel desiderio da pittora si celava un principio di fuoco, il primo innamoramento della figlia. Del resto Mino era bello e alto, con due occhi di mare, questo non poteva negarlo nessuna femmina che non fosse cecàta del tutto, neppure una vecchia come Sofia. Che un giorno, con la solita sincerità disarmante, aveva fatto arrossire Ninabella e inquietare il figlio ingenuo: «Secondo me, 'sto giovinotto è caduto apposta dal cielo per sposarsi la nipota mia quando finisce la malaguerra: bella con bello, principessa con principe forestero, accussì ha voluto il Signore. Questa è la strada, non si può più cambiare».

24

Tra un diluvio e l'altro, ai primi di gennaio erano fioriti i mandorli; a febbraio i fiori gialli del trifoglio e quelli rosa dei peschi avevano invaso a chiazze il Rossarco. A fine marzo esplose finalmente la primavera, l'aria divenne tiepida, la campagna un'esultanza di colori luminosi che cominciava ai bordi delle mulattiere e continuava a ondate irregolari per spegnersi nel mare.

William era così felice di rivedere la famiglia Arcuri al gran completo che quel giorno la proposta del ritratto da parte di Ninabella passò in secondo piano. La mattina successiva aveva accettato volentieri, ma con una raccomandazione: «Prego tanto, Ninabella, tu fai presto, okay?». Non voleva starsene immobile sotto il sole mentre gli altri sgobbavano.

«Il tempo che ci vuole, Mino, altrimenti esce fuori una cacatìna, capisci?»

«Cosa?»

«Insomma, una schifezza» aveva risposto Ninabella e lo aveva fatto appoggiare al tronco di un fico, la conca del mare sfavillante alle spalle, sotto i piedi il tappeto rosso di sulla e attorno il declivio del Piloru.

Fu Michelangelo che gli raccontò dell'arrivo di Filottete sulla collina, della nascita di Krimisa proprio in quel versante che si affacciava sul mare e della costruzione del tempio di Apollo Aleo a mezzo chilometro dalla spiaggia, circa 2500 anni prima, all'epoca della Magna Grecia. Era sdraiato sul tappeto di sulla, tra William e Ninabella, e parlava con una voce piana, suadente, guardando il cielo.

William pareva affascinato dalla storia, non sapeva nulla della Magna Grecia, disse, gli occhi fissi su Ninabella infaticabile e accigliata, e magari aveva scambiato i 2500 anni con 250 o addirittura con 25, confuso dal racconto di Michelangelo, che pareva accaduto ieri. «Allora tu dici che sotto nostri piedi c'è city vecchia?» gli chiese perplesso William.

«Antichissima, non vecchia. E non lo dico io, lo ha detto il più grande archeologo italiano, il professor Paolo Orsi, che proprio qui aveva cominciato a scavare. L'ho visto con i miei occhi.» Così gli raccontò pure dei ritrovamenti, delle tombe saccheggiate e del tesoretto di monete preziose che avevano venduto a Paolo Orsi. Non parlò dei due scheletri perché non voleva smitizzare il Rossarco e ancora gli bruciavano come carboni ardenti le parole del professore che l'aveva definito «un sepolcro di segreti sanguinosi».

«E tu credi veramente quest'istorie?» gli chiese William, cercando di non muoversi.

Io, caro Mino, non ne sono sicuro, avrebbe voluto dirgli, lo spero tanto, questo sì, da quando ero piccolo, lo spero. Rispose: «Ci credo e ci crederò sempre. Un giorno troveremo la misteriosa Krimisa. Dopo la guerra riprendiamo gli scavi...».

Per Ninabella non era facile dipingere sotto lo sguardo indagatore di William che non la mollava un momento, mentre il fratello raccontava storie che lei aveva già ascoltato mille volte e i familiari lanciavano occhiate furtive da spioni e poi riprendevano a lavorare come nulla fosse. Per fortuna Ninabella sapeva estraniarsi, si sentiva sola in cima a un'isola rossa, sola e spersa in quelle tonalità di azzurro che ondeggiavano tra mare e cielo, tra gli occhi di William e quelli del ritratto, tra realtà e mistero.

«Non mi guardare così, ti prego» disse puntando il pennello in direzione degli occhi dipinti. Il vero William sorrise e girò lentamente lo sguardo verso l'ulivo gigante.

Ninabella lo tenne bloccato in quella posizione per tre giorni, il tempo di ultimare il ritratto, e poi ne impiegò altri due a ritoccarlo e arricchire lo sfondo di sfumature e dettagli cromatici.

Il dipinto fu elogiato da tutti. «Bello, tanto bello» diceva William, e il padre ripeteva con orgoglio: «Mia figlia è una brava pittora, un giorno diventerà famosa», e il fratello notava: «Questo è il quadro migliore che hai fatto», e la madre era d'accordo: «È logico» diceva, la nonna pure: «È logico», e per la prima volta persino Ninabella appariva soddisfatta del proprio lavoro, tant'è che decise di portarselo in paese, di farlo incorniciare e appenderlo nella sua stanza, di fronte al letto.

Proprio in quei giorni di aprile finì un'altra attesa: Michelangelo fu convocato dalla direzione didattica di Savelli. Sapeva che sarebbe accaduto, eppure non ci pensava quasi mai e non ci pensava il padre, entrambi rimuovevano la decisione sperando forse di risolvere il problema al momento o che il problema si risolvesse da solo, per magia.

Il direttore Spinelli fu chiaro: «Si è liberato un posto alla scuola elementare di Verzino, un nostro camerata maestro è partito volontario per il fronte. L'incarico è vostro, maestro Arcuri. Entro domani mi dovete presentare la tessera d'iscrizione al Partito fascista. Sappiamo dal podestà di Spillace che non ce l'avete. È la conditio sine qua non, mi capite, vero?».

Michelangelo ringraziò senza esprimere apertamente le sue intenzioni. Se ne tornò a casa con la faccia cupa, quasi da lutto, e davanti alla famiglia riunita in cucina per la cena disse: «Mi danno il posto a Verzino se mi iscrivo al Partito». Prese fiato, mentre la madre e la nonna già si aprivano all'euforia: «Auguri, gioia, finalmente la fortuna ci assiste», e aggiunse: «Io questa tessera non la faccio né mo' né mai».

Il padre guardò il figlio negli occhi, muto. Ninabella disse: «Bravo, fraticè, bravissimo, io avrei fatto la stessa cosa».

«Be', allora io non capisco più il mondo: perché hai fatto tutti 'sti sacrifici, a studiare jorno e notte, a spendere i sordi del nostro tesoretto, se non volevi addiventare un maestro ch'insegna veramente?»

«Non è vero, ma', io voglio insegnare, eccome. Però in una scuola libera, ohi ma', non posso sporcarmi le mani con quella gente criminale, io aspetto la democrazia. Ho sentito che gli Alleati fra non molto sbarcheranno in Sicilia e cacceranno i nazifascisti a calci in culo, con Mussolini in testa...»

«Sì, campa cavallo...» lo interruppe la madre.

«Basta così.» Furono le uniche parole che disse il padre. Si alzò dalla sedia e andò ad abbracciare il figlio, senza aggiungere una sillaba.

Il giorno della Pasquetta tornarono tutti insieme sulla collina rossa con il carretto trainato dal mulo. Avevano portato da mangiare provole, formaggi, salsicce, soppressate, un prosciutto intero, carne di agnello da arrostire in loco, pane e vino a volontà, mentre le arance e i mandarini li avrebbero raccolti freschi dagli alberi e le insalate dall'orto. Alla famiglia Arcuri potevano mancare i soldi, il cibo mai, neanche durante la guerra, diceva mio padre con orgoglio.

William era contento come un bambino per quella festa inaspettata e si abbuffò e bevve con gusto contagioso. Arturo lo avvertì che quel giorno le colline attorno al Rossarco pullulavano di occhi curiosi e bocche pettegole, «devi stare attento, non andare troppo in giro, forse è meglio se entriamo tutti nella casella».

Fu l'unica volta che William non ascoltò i consigli. L'ulivo gigante gli girava sopra la testa, la giornata era splendida, la musica della chitarra battente, che suonavano ora Arturo ora Michelangelo, metteva allegria, lui ammirava la ragazza che ballava la tarantella scalza e leggera attorno alla tovaglia imbandita sul prato, ascoltava il coro delle donne che cantavano a squarciagola, e quei ritmi, quel calore, lo facevano saltellare come un grillo, battere le mani fuori tempo e bere fino a stordirsi. «Vino per favore» chiedeva presentando il bicchiere vuoto a donna Lina, e provava pure a cantare ripetendo di continuo: «O riturnella o tarantella o riturnella o Ninabella».

Le risate, le musiche, gli odori del cibo si rincorrevano di collina in collina, univano le famiglie in un rito collettivo, esorcizzavano per qualche ora la preoccupazione per la guerra, i rischi mortali che correvano al fronte i loro figli soldati, i parenti, gli amici.

Nel tardo pomeriggio William crollò sui fiori gialli del trifoglio, la faccia soddisfatta rivolta alla chioma gigantesca dell'ulivo, la bocca aperta a un ronfare ritmico, impastato con qualche sussulto di «o riturnella... bella... bella», che ricordava l'ultimo canto della giornata.

Arturo lo trascinò dentro la casella, «per oggi» disse «abbiamo risicato già abbastante». E appena uscì fuori aggiunse: «È stato un Pascòne inscordabile, era dai tempi della scuola che non mi divertivo accussì tanto». Poi guardò il figlio, e la sua fronte si riempì di rughe profonde, gli occhi di nuvole nere. Lo intuivano tutti a cosa stava pensando in quel momento.

Per sdrammatizzare, Michelangelo modulò un tono di voce che voleva essere scherzoso e gli uscì spavaldo: «Appena mi arriva la cartolina-precetto io la strappo, non parto per il militare, non sono fesso, vengo a tenere compagnia a Mino, ci nascondiamo assieme dentro la Timpalea, non ci trova manco il Padreterno».

Il padre gli rispose con una punta di aggressività fuori luogo:

«Stai coglionijàndo, spero. Solo un ciòto può avere una penzata del genere. In tempo di guerra chi fa il furbo rischia la fucilazione».

«Stavo scherzando, ohi pa', lo ha capito pure il vento che scherzavo.»

«Su queste cose non si coglionìja e basta.»

Poco prima di partire, mentre i familiari caricavano sul carretto le vettovaglie e i resti del picnic, Arturo afferrò la chitarra battente e, seduto a gambe incrociate sotto l'ulivo gigante, provò a scaricare la tensione pizzicando le corde con foga e battendo velocissimo il piano armonico con i polpastrelli. Era una musica improvvisata che all'inizio aveva lo stesso tono del suo umore nero, poi divenne melodiosa, struggente, e Arturo si trasformò arpeggio dopo arpeggio, gli sparirono le rughe dalla fronte e lo sguardo divenne sognante, la voce giovanile e stonata come ai tempi delle serenate.

Gli occhi innamorati della moglie si riempirono di lacrime: aveva intuito, lei sola, che quello era l'ultimo giorno di allegria del marito e della sua famiglia unita.

25

«Ti raccomando, Michè, stai sempre all'erta che così non ti capita niente di brutto. E scrivici subito appena arrivi, va bene?» Era stato il padre a parlare a nome di tutta la famiglia; le donne tenevano a bada il nodo alla gola, si sforzavano di non piangere e fissavano il treno fermo sull'unico binario di Cirò Stazione.

Michelangelo aveva in tasca la cartolina-precetto con la destinazione in evidenza, caserma Garibaldi di La Spezia. Al padre rispose con la cantilena che in quegli ultimi tempi andava ripetendo a ogni raccomandazione dei familiari: «Va bene, non preoccupatevi, starò attento e vi scriverò appena posso».

L'attesa dunque era finita. Grazie all'iscrizione all'università era riuscito a rinviare la partenza di un anno, ma ora si sentiva come sospeso tra la luce e il buio, una foglia in balia del vento. Più che lo spauracchio della guerra, a infastidirlo erano la sensazione di vuoto che provava, l'ubbidienza a un pezzo di carta senz'anima, la partenza decisa da sconosciuti con la camicia nera. All'orrore della guerra, però, pensavano i suoi familiari, soprattutto il padre che l'aveva combattuta e la nonna che vi aveva perso il sangue del suo sangue.

Il padre lo strinse con un abbraccio breve e forte. Michelangelo salì sul treno e si affacciò al primo finestrino aperto. Accanto a lui c'erano altri giovani che cercavano gli sguardi dei propri familiari confusi nella folla assiepata lungo il binario.

Il treno partì lentamente tra lo sventolio di fazzoletti e mani protese ad afferrare il cielo luminoso di quel giorno. Era il mese di maggio. Il profumo della collina sfiorò Michelangelo come una carezza improvvisa, mentre il treno accostava il punto più vicino alla fiancata del Piloru per qualche secondo, il tempo di un pensiero beffardo, già di suo padre: devo tornare vivo, devo, non posso morire così giovane, voglio sentire ancora questo profumo.

Poi sparì la collina rossa, sparì il profumo.

E cominciò un periodo di incertezze. A Spillace le voci sulla guerra si accavallavano, s'ingarbugliavano, diventavano contraddittorie, speranze vive o morte: gli americani sono sbarcati in Sicilia, l'esercito nazifascista resiste, è la pura verità, i soldati italiani stanno scappando, Mussolini ha le ore contate, dicono che il re è in fuga dalla capitale, non è vero niente, i tedeschi sono imbattibili e Mussolini canta vittoria su vittoria, chi lo dice? È vero il contrario, vedrete. Lo diceva la radio a pile del medico condotto che ogni sera veniva accesa ad alto volume e una folla di giovani e anziani ascoltava sotto la finestra le bugie dei notiziari.

Il giorno dopo, quelle stesse persone occupavano le terre comunali attorno a Spillace per trasformarle in orti, mentre in autunno le più disperate e coraggiose avevano seminato a grano le terre incolte di don Lico, buscando denunce alla caserma dei carabinieri e subendo arresti.

Arturo si divideva tra l'attivismo con i compagni, per organizzare di nascosto le occupazioni, e il lavoro sul Rossarco, dove segretamente continuava a custodire William. Più di una volta, in quegli ultimi tempi, era tentato di parlarne con i compagni, ma per fortuna desisteva, conscio dei rischi che avrebbero corso lui e William se la notizia avesse varcato la soglia della collina o di casa Arcuri.

Comunque la caduta del fascismo era nell'aria. «Abbiamo

aspettato vent'anni, dobbiamo avere la forza di aspettare ancora qualche mese, poi la nostra vita cambierà» diceva Arturo ai più giovani che scalpitavano e una notte avevano devastato la sala del fascio, facendo a pezzi la testa in gesso di Mussolini. E cercava pure di contenere la pericolosa euforia che si stava impadronendo di William alla notizia dello sbarco americano in Sicilia: «Calmati, tu te ne vai da qui quando i tuoi compagni passeranno a prenderti. Al momento c'è un via vai di nazisti e fascisti che nemmanco una mosca inglese la passerebbe franca scappando da qui». Poi, per riportarlo con i piedi per terra, gli ricordava che il figlio era stato mandato sul fronte orientale dopo un addestramento all'acqualavàta e che da allora avevano perso i contatti: Michelangelo non stava più mantenendo la promessa di scrivere a casa, come aveva fatto i primi tempi con regolarità, segno che la guerra infuriava attorno a lui con violenza inaudita.

Il padre era così preoccupato della sorte del figlio che un pomeriggio di giugno Ninabella lo aveva sorpreso a pregare davanti alla statua di sant'Antonio, lui che era un mangiapreti e in chiesa era entrato soltanto per il suo matrimonio e il battesimo dei figli.

La notizia che finalmente il fascismo era caduto e che Mussolini era stato sostituito da Badoglio a capo del governo rimbalzò di aia in aia nel periodo della mietitura. In quei giorni molti contadini dormivano in campagna per fare la guardia ai loro sacchi di grano, che venivano trasportati con asini e muli da ragazzini detti viaggèri. Furono loro a divulgare la bonanova sentita alla radio del medico.

Ora i fascisti di Spillace non sapevano dove nascondersi, come comportarsi, temevano la vendetta di chi per vent'anni aveva subìto violenze ingiustizie purghe confine e carcere.

Arturo calmò gli spiriti più bollenti che volevano fare sfracelli. Li lasciò sfogare nella sala del fascio che fu bruciata con tutte le sue carte e le bandiere e le foto del duce e i giornali. Però li convinse a non toccare le persone, perché ci sarebbero andati di mezzo pure le mogli e i figli innocenti, e non era giusto. Del resto i colpevoli dalla testa ai piedi come don Lico erano scappati verso Catanzaro o Cosenza o Napoli, dove avevano parenti, per nascondersi nell'anonimato cittadino in attesa di tempi più favorevoli.

«Una lezione gliel'avrei data volentieri a don Lico, tanto per farlo cacare nei pantaloni dalla paura, come è successo a me dopo che i suoi compari bastardi mi hanno fatto bere l'olio di ricino dal cannarozzo» diceva Arturo senza nascondere il proprio rancore. «Ma prima o poi tornerà a Spillace e noi lo umilieremo con i processi, gli faremo vomitare tutto quello che lo ha fatto ingrassare per vent'anni sulle nostre spalle.»

Era convinto e convincente, Arturo Arcuri. Aveva carisma ed esperienza, i compagni lo ascoltavano la sera in piazza e già lo avevano scelto capolista alle future elezioni democratiche, già lo immaginavano sindaco o addirittura deputato, grazie alla parlantina che teneva: Arcuri Arturo il sindaco contadino, il deputato rosso come la sua collina.

«Compagni, voi correte troppo. La guerra si è solo spostata più in su, non è ancora finita. Comunque grazie della fiducia» rispondeva Arturo, schermendosi per scaramanzia.

In quei giorni era impegnato a vendemmiare con i familiari e anche a William predicava la cautela: «Un po' di pacènza e a breve sarai libero di volare. Ho visto troppe camionette e cingolati tedeschi in ritirata verso il Nord e squadre fasciste allo sbaraglio. Quando non ce ne saranno più in giro, allora vieni con me a Spillace, dormi in un letto vero per qualche notte, festeggiamo come si deve la libertà, conosci i miei compagni, il paese, e dopo ti porto dagli Alleati».

«Okay» disse William e guardò Ninabella negli occhi con un sorriso tirato che non esprimeva alcuna contentezza.

Ninabella lo prese in giro: «Dovresti essere contento, invece hai la faccia da funerale».

«Funerale? Non capisco.»

«La cerimonia triste che si celebra quando uno muore.»

William strizzò gli occhi con un'espressione da ciòto, non aveva capito, non voleva capire. Ninabella avrebbe voluto abbracciarlo per lenire il suo dolore nascosto. Non lo fece perché c'erano i genitori a pochi passi da loro, che caricavano il carretto con i cesti dell'uva. In compenso lo accarezzò con lo sguardo e gli sorrise, ma nel corso degli anni quell'abbraccio mancato sarebbe divenuto il più grande rimpianto d'amore della sua giovinezza.

Poi salì sul carretto e partì assieme alla nonna e alla madre. Il padre restò a fare la guardia al resto dell'uva che avrebbero portato il giorno dopo al paese per la pigiatura.

«Allora a domani. Vi raccomando di venire presto, ché entro mezzogiorno finiamo» furono le ultime parole di Arturo.

L'indomani, mentre scendevano da Spillace, videro il sole sbucare prepotente dal mare. Era rosso fuoco, enorme. La madre e la figlia sospirarono. Si preannunciava una giornata splendida di fine settembre.

Sulla collina le accolse un vento tiepido che sollevava mulinelli di polvere e faceva socchiudere gli occhi. Nella vigna non scorsero nessuno, chiamarono in coro: «Dove siete?», non rispose né Arturo né William.

Ninabella scese dal carretto per prima ed entrò nella casella. A pochi passi dalla porta spalancata, c'erano alcune ceste capovolte, grappoli d'uva schiacciati sul pavimento e un nugolo di vespe che ronzavano e si tuffavano come ubriache in quel succo sciroppposo, rosso sangue.

Allora uscì fuori allarmata e vide la madre e la nonna, immobili davanti all'ulivo gigante. Urlò stringendo il viso sconvolto con le mani, come aveva fatto da bambina di fronte alla marea dei serpenti. Non voleva credere ai suoi occhi. Urlava alla stregua di una paccia furiosa. La madre e la nonna si svegliarono dall'incubo e la prima cosa che fecero fu di gridare: «Artù, Artù, dove sei? Rispondi!».

Il corpo di William dondolava lentamente spinto dal vento, il cappio stretto al collo gli aveva fatto spalancare gli occhi in tutta la loro grandezza azzurra e il sole li accendeva di luce calda. L'espressione era ambigua, un misto di disincanto e sofferenza. Dondolava come un pezzo di legno senza vita.

«Ohi sant'Antonio benedetto, mo' che facciamo? Dov'è Arturo? Perché non risponde?» chiedeva Lina alla suocera. Ninabella si era lasciata cadere con le ginocchia sull'erba e piangeva disperata.

Dopo una decina di minuti accorsero quattro braccianti che lavoravano le terre di don Lico a ridosso del fiume. Avevano sentito le urla, dissero trafelati. Non ci fu bisogno di chiedere cosa fosse successo: videro il giovane sconosciuto appeso all'ulivo, si levarono il cappello e si fecero il segno della croce. Uno di loro notò l'erba imbrattata di sangue, una lunga striscia che finiva in una pozza rosso porpora come un fiore di sulla, proprio sotto lo sconosciuto: «Prima gli hanno sparato alla schiena, dopo lo hanno strascinato qua e appeso all'albero. Sono stati micidianti senza un grammo di pietà: lo hanno ucciso due volte».

«Chi è 'sto cristiano affucato?» chiesero poi alle donne. «E compar Arturino, dov'è?»

«Lo stiamo chiamando, non risponde, forse lo hanno portato via» disse la vecchia ignorando la prima domanda.

«E chi?»

«Forse i fascisti sbandati o i tedeschi in fuga da San Nicola o qualche diavolo dell'inferno che non posso nominare» rispose donna Lina.

«Conoscete 'sto povero giovane?» ripeterono gli uomini mentre lo liberavano con delicatezza dal cappio e lo poggiavano ai piedi dell'ulivo.

Anziché rispondere, le tre donne ripresero a chiamare il marito, il padre, il figlio e lo spirito santo, senza che nessuno si facesse vivo. Il vento si era ammutolito di colpo, come risucchiato dal mare che sciabordava silenzioso. Si sentiva solo l'eco disperata che ripeteva: «Arturo, dove sei, rispondi, per amor di Dio, dove sei?». Arturo pareva svanito nel nulla.

Nessuno fece caso alla disperazione di Ninabella che fissava gli occhi morti di William e tremava di freddo sotto il sole del mattino. Dov'era il padre? Dov'era lei? Forse stava sognando e fra un attimo avrebbe sentito la voce del padre, la sua mano callosa accarezzarle il viso, ne aveva bisogno dopo un risveglio così doloroso: si sarebbe alzata in un lampo come faceva da bambina e insieme avrebbero abbandonato per sempre la collina rossa di sangue.

Rosso

Da quel giorno non aveva più messo piede sulla collina rossa, mi ha detto Ninabella durante il viaggio in macchina verso Spillace. Come ogni anno, alla vigilia di Ferragosto, ero andato a prenderla all'aeroporto di Lamezia. Mi sembrava più in forma e chiacchierona del solito. Al contrario di mio padre, cupo, un po' curvo e trasandato, lei non dimostrava la sua età. Anche stavolta portava in testa un cappellino eccentrico, alla regina Elisabetta, e indossava un abito leggero e colorato che evidenziava un fisico per nulla decrepito.

«Tu, zia, non invecchi mai. Come Sophia Loren» le ho detto in vena di complimenti sinceri.

Lei ha sorriso, mostrando una dentatura perfetta: «Mi mantiene in naftalina l'aria umida di Londra, e lo stress, naturalmente. Lo stress è la mia vitamina antinvecchiamento». Si è rabbuiata solo mentre mi raccontava, su mia richiesta, la storia del pilota inglese.

Dopo che ci siamo immessi nella provinciale per il paese, Ninabella ha abbassato gli occhi, a tratti li ha rivolti in avanti o a sinistra, evitando accuratamente di sfiorare con lo sguardo – e forse con il pensiero – la sagoma del Rossarco.

Le ho detto che mio padre si era stabilito da circa un anno nella casella ristrutturata e che, se lei ne aveva voglia, potevamo passare a salutarlo prima di salire a Spillace. Mi ha risposto fissando la fiumara asciutta: «Michelangelo diventa sempre più paccio, ha ereditato la paccìa del nonno buonanima, anziché il nome. Se vuole, viene lui a salutarmi a casa nostra».

Quando siamo entrati in paese, la zia ha aperto il finestrino della macchina e vi ha appoggiato il gomito, pronta ad affrontare il corso principale con il suo sorriso più smagliante. Salutava con la mano aperta chiunque guardasse nella nostra direzione, anche se non lo conosceva. I più anziani la notavano subito per via dei cappellini strani e dicevano a voce alta: «È arrivata la regina Ninabella».

Ho portato la sua valigia dentro casa e più tardi, in auto, sono salito sul Rossarco.

A mio padre ho detto che la sorella preferiva salutarlo in paese e lo invitava a cena. Lui ha accettato tra mugugni e sbuffate: «Me l'immaginavo che non sarebbe venuta a trovarmi quassù, questa qui non cambierà idea finché campa. È rimasta la capatosta di quando era guagnunèlla, anche se vive in una metropoli da cinquant'anni». Poi ha preso tre bottiglie di vino gaglioppo e un panaro di fichi dalla dispensa, li ha sistemati nel cofano della mia macchina e siamo partiti.

Arrivati a Spillace, mi ha fatto fermare per la provvista mensile di sigarette e pasta. Salendo in casa ha dato un'occhiata ai vasi di fiori, prezzemolo e basilico sul pianerottolo e mi ha rimproverato: «Un po' di acqua potresti darla a queste piante, le stai facendo seccare!». Era molto teso in quel momento.

Ninabella ha riconosciuto la voce del fratello e gli è corsa incontro. Sono rimasti abbracciati a lungo, scambiandosi qualche frase a bassa voce. Poi abbiamo attraversato il corridoio e ci siamo diretti al balcone, dove la zia aveva preparato il tavolo per la cena. Lei si è sistemata di spalle alla collina, noi di fronte. Temevo che la tensione tra loro che avevo colto in precedenza sarebbe esplosa durante la serata. Invece, abbiamo conversato tranquilli dell'ultima mostra di Ninabella a Parigi e della gravidanza di Simona, elogiando le tagliatelle alla salsiccia, il vino e i fichi e sopportando stoicamente il caldo, le mosche e le zanzare che ci ronzavano attorno.

Le cene sul balcone si sono ripetute anche nelle sere successive. Erano gli unici momenti in cui la zia e mio padre si incontravano. A volte, quando rincasavo tardi dal mare, li trovavo appoggiati alla ringhiera che mi aspettavano fumando in silenzio, gli occhi socchiusi. Sembrava che non avessero niente da dirsi dopo un anno di lontananza.

Di giorno le loro strade si dividevano: lui in collina, a scavare all'alba con i suoi amici marocchini e al tramonto da solo, a prendere il fresco sotto l'ulivo gigante nelle ore più calde; lei in paese, a gironzolare impavida nell'afa, improvvisando visite a parenti e amiche d'infanzia, bevendo caffè freddo a litri e chiacchierando sempre più sciolta.

In quella settimana di vacanza la zia non dipingeva mai, non ne sentiva l'urgenza, mi diceva, pur avendo lo sgabuzzino pieno dell'occorrente. Anzi, a Spillace non stava dipingendo dai fatti sanguinosi del Rossarco. E neanche a Londra, i primi tempi, era riuscita a prendere in mano un pennello. Poi una sera aveva ospiti a cena, stavano bevendo il vino rosso che le regalava il fratello, era un po' brilla o forse soltanto maldestra, portò con irruenza il calice di cristallo alle labbra e lo spezzò contro i denti ferendosi la gengiva e la lingua. Uno spruzzo di sangue e vino macchiò la sua camicetta di seta e in parte fu assorbito dalla tovaglia candida del tavolo. Lei sbiancò, come se si fosse riaperta una vecchia ferita. Da allora il colore rosso divenne la sua ossessione, riprese a dipingere con foga, cercando di rielaborare i lutti della sua vita che fino a quella sera aveva nascosto in un angolo buio, come faceva con le tele buttate dietro le balle di fieno per non rivederle. Rosso sangue, rosso cardinale, rosso porpora, rosso sole, rosso fiamma, rosso vino, rosso ruggine, rosso cocciniglia, rosso tramonto, rosso labbra, rosso fuoco, Rossarco, rossamore. La prima mostra intitolata semplicemente *Rosso* fu un successo. Si firmava "Ninnabell.A.". Per l'occasione si colorò di rosso acceso i capelli precocemente incanutiti, ringiovanì dentro e fuori.

Nel bel mezzo della storia la zia si ricordava di mio padre: «Che fa lassù il nostro orso? A me non racconta nulla. Non ti sembra più strano del solito?». Io le dicevo la verità: «Scava. Anzi, diventa sempre più ossessionato dagli scavi, è sospettoso del mondo intero, sorride raramente».

Il giorno prima della sua partenza, le ho chiesto dei chiarimenti sugli scheletri trovati da Paolo Orsi. La zia è stata vaga, raccontandomi meno di quello che già sapevo e concludendo secca: «Per me è uno sbaglio scavare in collina. Lo diceva pure nonna Sofia tanti anni fa. È meglio che certe verità restino sepolte in pace». Invece sugli anni del dopoguerra mi ha risposto in maniera più precisa di mio padre ma con un certo distacco, come se quelle storie non la riguardassero.

Infine mi ha sorpreso: «Aspetta» ha detto. È entrata nella sua stanza e dopo un po' mi ha posato una moneta d'oro sul palmo della mano. «Te la puoi tenere. È antica, credo di valore, un regalo di Paolo Orsi. Tuo padre ne ha avuta una simile. A lui, la sua moneta ha salvato la vita. A me non serve, non è mai servita. Anzi, da quella malajornàta di sangue ho avuto voglia di buttarla nel mare perché mi ricordava la collina rossa. Quando sono fuggita per Londra l'ho tenuta nascosta nella mia stanza in paese: lontana dagli occhi, lontana dal cuore e dalla mente.»

26

Quando ebbe il mare alle spalle e prese la strada per Spillace, vide la collina del Rossarco avvolta nella luce sfocata del tramonto. Le sorrise, disse: «Sono tornato». Si sentiva a casa, finalmente. Salvo.

Lungo la scorciatoia in salita raggiunse un drappello di contadini che rincasavano dal lavoro. Fu riconosciuto a stento. Aveva la barba e i capelli lunghi, ricoperti da una patina di polvere giallastra, era stremato dal lungo viaggio a piedi e, in parte, con mezzi di fortuna, treni, carri, cavalli, biciclette, postali, camion.

«Pari un Cristo in crùcia» gli dissero i contadini pietosi e non ebbero il coraggio di raccontargli quello che era successo sul Rossarco. Un vicino di casa lo invitò a montare sul suo mulo, per evitargli quell'ultima salita micidiante a piedi. Nemmeno lui che lo conosceva bene se la sentì di riferirgli l'accaduto. Non voleva offuscare la gioia del ritorno che gli si leggeva in faccia. Michelangelo, almeno, era vivo, sembrava un fantasma magro, ma era vivo.

A casa fu travolto dagli abbracci delle donne, dai loro pianti esagerati, non si capiva se di felicità o di dolore. Michelangelo sorrideva: «Non fate così, sono tornato sano e salvo, lo vedete?». Poi si accorse che mancava il padre e chiese di lui. Era già buio, che ci faceva ancora in campagna?

Fu Ninabella a dirgli la verità, gli parlò della terribile fine di William, sforzandosi di non piangere, e del padre che da quel giorno era sparito senza lasciare tracce. Loro lo avevano cercato dappertutto e comunque lo aspettavano ancora, disse al fratello per non farlo soccombere al dolore. Forse era stato internato in un campo di concentramento dai nazisti, forse lo avevano rinchiuso in carcere i fascisti, forse era riuscito a scappare e aveva combattuto con i partigiani o chissà dove, forse se ne stava nascosto in qualche anfratto della Sila e non sapeva che la guerra era finita, o magari lo stavano curando in un ospedale fuori dall'Italia. «Papà torna prima o poi, io me lo sento» concluse la sorella e lo abbracciò singhiozzando con una disperazione che smentiva l'ottimismo delle parole.

La madre e la nonna non avevano dubbi, o almeno non li esprimevano: «Arturo è vivo in qualche pizzo del mondo» dissero. La nonna l'insognava ogni notte che suonava musiche allegre con la sua chitarra battente.

«Se è vivo come credo anch'io» disse Michelangelo, «lo troverò e lo riporterò a casa.»

Dalla mattina seguente cominciò a cercarlo. Era il mese di agosto. La collina lo attendeva con il volto abbruttito dell'abbandono: erba secca e gramigna, cespugli di lentisco e ginestra occupavano gli spazi tra gli ulivi e gli alberi da frutta cresciuti a dismisura, la vigna era un intrico di tralci avviluppati tra loro e attorno ai tronchi dei fichi. Soffiava un vento feroce. Per raggiungere il bosco di Tripepi si doveva passare a colpi di vanga e di roncola. Sarebbe bastato un fiammifero o una scintilla piovuta da lontano per incendiare l'inferno.

Il primo giorno arrivò a fatica nei posti segreti che conoscevano solo lui e il padre: le grotte nascoste da roveti inespugnabili, in una gobba della collina quasi a picco sulla fiumara. Cercò mozziconi di sigaretta e cartucce vuote, orme, giacigli di paglia, qualsiasi traccia che potesse ricondurre al padre. Non trovò nulla, se non tre archi di oleandro rinsecchiti.

A casa ritornò con le mani graffiate, portando un panaro pieno di fichi squisiti e un malloppo di fogli scritti in inglese. «Questi li ho trovati nascosti in una cassetta di legno, dietro le balle di paglia. C'è pure un indirizzo scritto a stampatello. Bisognerà inviarle alla famiglia di William.»

«Va bene. Me ne occupo io» disse Ninabella. «Faccio un pacchetto e lo spedisco per posta.» La voce le tremava.

Il giorno dopo Michelangelo tornò sul Rossarco con una squadra di giovani braccianti, tutti reduci di guerra come lui; li aveva assoldati in piazza tra le decine di disoccupati in cerca di lavoro. Li lasciò a rampare gli alberi, liberare il terreno da cespugli, erbacce e ramaglie, salvare il salvabile della vigna, ripulire da cima a fondo la casella, rendere agibili le mulattiere, innalzare muretti a secco laddove il pericolo di frane era più incombente.

Lui riprese la ricerca nella Timpalea. Vide l'aereo del tutto ricoperto di edera che lo teneva ancora legato alla coda affondata nei lecci. Pareva la scultura di un aereo verde in procinto di spiccare il volo sul vuoto. Si aggrappò con una mano all'edera e si sporse fin dove poteva sul burrone.

«Ohi papà» gridò diverse volte. Erano più di tre anni che non pronunciava quel richiamo affettuoso, provò una fitta al cuore.

Dal fondo della conca tappata da un roveto infernale sentì risalire solo l'eco della propria voce, velleitaria e assurda come l'idea che il padre potesse davvero nascondersi nella bocca spinosa della Timpalea. Impossibile, pensò, impossibile che lui sia qui. O se c'è, è morto.

Di colpo lasciò la presa e, con la mano sporca di edera, scacciò il brutto pensiero dalla faccia. In quel momento ebbe l'impressione che ci fosse qualcuno alle sue spalle. Si girò di scatto e vide solo le cime dei lecci che frusciavano al vento.

Non era la prima volta che si sentiva osservato e non sarebbe stata l'ultima. Gli accadeva anche da bambino: il desiderio di rivedere il padre che si tramutava in sguardi muti, in folate improvvise di vento dalla voce nota.

«Mi è successo pure durante il viaggio di ritorno dalla guerra» disse la sera ai familiari e raccontò il fatto.

Sta camminando da due mesi, ha attraversato la Germania distrutta dai bombardamenti e, negli ultimi giorni, si arrampica sulle montagne dell'Alto Adige; sotto i denti non ha messo che radici amare, qualche patata cruda e due mele rubate nei campi, rischiando ogni volta il linciaggio. È allo stremo, la fame non perdona, si trascina come un pezzente, piano, non ha più energie nelle gambe, le braccia sono mosce, andando avanti così non ha molte speranze di arrivare vivo a Spillace. Cade svenuto, una volta, due, e poi sente una voce conosciuta alle spalle: «La moneta» gli dice la voce, solo questa parola. Si volta lentamente e vede il padre risplendere nella luce che avvolge pure le montagne, bello come al ritorno dal confino. Lui non ha la forza di parlargli né di abbracciarlo, il padre lo guarda con occhi trasparenti, vuoti, simili a quelli di un fantasma, «la moneta» gli ripete, e svanisce. Lui raccoglie le ultime forze, entra in un maso e baratta la moneta d'oro con latte e cibo a sazietà, più un giaciglio nella stalla. Quando si sveglia dopo due giorni e due notti di sonno profondo, la moglie del contadino, impietosita, gli riempie il tascapane di panetti di segale e formaggio, e lo saluta con due parole sorridenti: «Viel Glück», l'augurio di buona fortuna in tedesco.

«Arturo è il tuo angelo custode» gli disse la nonna, colpita fino alle lacrime dal racconto. E lui che l'angelo custode voleva toccarlo con mano, continuò a cercarlo anche in Sila, nei paesi costieri, negli ospedali di Crotone e Catanzaro, in quello psichiatrico di Villa Nuccia. Scrisse lettere accorate al ministero dell'Interno, allegando una foto del padre. Ovunque andasse chiedeva di un certo Arturo Arcuri, un bell'uomo alto, dai capelli ricci, gli occhi di brace e la fossettina al mento. Così lo descriveva allora, così lo ricorda oggi.

Le ricerche si allentarono i primi giorni di ottobre, quando Michelangelo venne chiamato a insegnare nella scuola elementare di Spillace al posto del maestro Tavella, che aveva ottenuto il trasferimento a Catanzaro. Non fu una questione di fortuna o di raccomandazioni, come dissero gli invidiosi. I paesi dell'Alto Crotonese, il suo compreso, erano ritenuti sedi disagiate, in culo al mondo; se potevano, i maestri veterani sceglievano le scuole di città o almeno i paesi raggiungibili in treno.

Il nuovo signor maestro Michelangelo Arcuri si presentò davanti ai suoi alunni di terza con la disponibilità e l'impegno del maestro Tavella, di cui imitò anche il percorso didattico, evitando le bacchettate e puntando sulla pazienza.

Il lavoro gli piaceva, si sentiva un privilegiato: faceva quattro ore di lezione al giorno e quasi quattro mesi di ferie in estate, per non parlare delle vacanze di Pasqua, Natale e le altre feste comandate.

Di pomeriggio andava spesso sulla collina del Rossarco, che era tornata a essere produttiva e profumata come ai tempi del nonno e del padre. Per le attività più impegnative, mietitura, vendemmia, raccolta delle olive, chiamava una squadra di braccianti che di solito si facevano pagare in natura, con grano, mosto, olio, «il meglio della Calabria», diceva lui con il brillio del vanto negli occhi.

Dei familiari solo la madre ogni tanto gli dava una mano; la nonna, con tutta la sua buona volontà, riusciva a malapena ad accudire le galline e i maiali nelle zimbe. Per fortuna era ancora lucida: «Ho settantacinque anni passati. Ringrazio il Signore che non sono rimbabisciùta con le malanove che ho patùto».

Quanto a Ninabella, non sarebbe andata sulla collina neanche se spinta da un fucile alla schiena. Abbandonati definitivamente gli studi, accantonata la pittura, se ne stava in casa a ricamare lenzuola e federe o a tessere coperte al telaio, come tutte le altre ragazze del paese che si preparavano il corredo da sposa. Solo che lei non aveva nessuna intenzione di maritarsi e rifiutava con sdegno le innumerevoli proposte di matrimonio. Aveva ventitré anni, per l'epoca era una zitella già da un pezzo, ma i giovani ambivano a lei come al trofeo più prezioso: era la più bella, di viso e di corpo, la più sperta in assoluto tra le ragazze in età da marito, portava di sicuro una dote sostanziosa, apparteneva a una buona famiglia, rispettata da tutti o quasi, con un signor maestro di fratello; peccato che avesse un padre né vivo né morto, un padre fantasma che dal limbo in cui si trovava non poteva contribuire al progresso ulteriore della famiglia, nemmeno con la pensione da soldato.

Ninabella aveva le fattezze di una statua immobile dietro al telaio o su una sedia di fianco alle compagne; le sue mani, però, erano in continuo movimento e pareva inseguissero i pensieri veloci che si teneva per sé. Pensava a William o al padre? Pensava alla vita che aveva sognato e che un mattino si era trasformata in un incubo? Anche lei ogni tanto, di notte, sentiva una carezza leggera sulla guancia. «Papà?» diceva con la bocca impastata di sonno amaro.

Il fratello, rientrato dal bar, restava al buio senza respirare per qualche secondo e, quando la sorella si riaddormentava, a passi felpati raggiungeva la propria stanza.

27

La prima volta che vide Marisa Marengo, mio padre fu colpito soprattutto dal suo sorriso fresco e dal modo di raccontare accalorato, come se le sue parole straripanti di vocali aperte svelassero le verità più urgenti della vita. Troppo poco per un innamoramento a prima vista, ma più che sufficiente per apprezzarla fin da subito e lasciarne poi decantare il ricordo come un vino buono da degustare a piccoli sorsi, senza fretta.

Si trovavano nell'aula magna del liceo Pitagora di Crotone, dove si teneva il convegno *Paolo Orsi e la Calabria* davanti a una folla di studenti, professori e persone interessate. Lei stava intervenendo in qualità di «giovane archeologa torinese dal sicuro avvenire» – così era stata presentata – ma quanto a grinta e competenze non aveva nulla da invidiare agli altri attempati relatori.

Mio padre era seduto in seconda fila, dietro le autorità, e ascoltava le relazioni con un batticuore esagerato. Forse si aspettava che si ricordassero le campagne di scavi di Paolo Orsi a Punta Alice e sul Rossarco, oppure temeva che venissero rese pubbliche la scoperta dei due scheletri e la storia del tesoretto.

Come se gli avesse intercettato l'ultimo pensiero e volesse fargli un dispetto, la dottoressa Marisa Marengo cominciò a parlare dei cosiddetti ripostigli o tesoretti rinvenuti a Crotone e dintorni, di cui si era occupato Paolo Orsi con piglio da esperto e audace cercatore di tesori.

Gli studenti, che fino a quel momento si stavano annoiando al punto da nascondere educatamente gli sbadigli con la mano sulla bocca, si risvegliarono di colpo, e anche i professori.

Il primo tesoretto era stato scoperto da un'impresa che collocava nel porto di Crotone massi enormi prelevati nelle acque di Capo Colonna. Un giorno del 1916, dal fondo marino di fronte alla spiaggia di Punta Scifo fu sollevato un blocco di roccia, che sotto i raggi del sole mostrò una cavità luccicante. Luccicarono anche gli occhi degli operai che estrassero ben centotré monete d'oro e se le divisero tra loro. Ma poi qualcuno parlò. E ora luccicavano pure gli occhi degli studenti che seguirono con ansia le fasi di recupero da parte dello Stato di ottanta monete; delle rimanenti, undici furono acquistate da Armando Lucifero e dodici disperse, cioè fregate chissà come e quando.

Il secondo, strano tesoretto venne trovato da un contadino sulla collina del Rossarco. L'anomalia, proseguì la giovane archeologa, stava nel fatto che, assieme a un gruzzoletto di monete d'argento e di bronzo coniate attorno al 400 a.C. in varie città della Magna Grecia, tra cui Kroton, c'erano delle monete d'oro. Si trattava di preziosi solidi di Giustiniano, coniati in una zecca di Costantinopoli nei primi decenni del 500 d.C., proprio come una parte di quelle trovate a Punta Scifo.

Questo era l'enigma che cercò di risolvere Paolo Orsi quando acquisì il tesoretto. La sua ipotesi era che la collina del Rossarco, dopo la distruzione di Krimisa, fosse stata abitata dai sopravvissuti e dai loro discendenti come minimo per altri mille anni, cioè almeno fino all'occupazione del Bruttium – che i bizantini avrebbero chiamato Calabria – a opera del generale Belisario inviato da Giustiniano.

Alla fine dell'intervento scoppiò un applauso caloroso che proseguì con un'intensità maggiore quando fu invitato al podio un vecchio altissimo e magro, dallo sguardo azzurro di un magnetismo carismatico, che ancor prima di aprire bocca conquistò la platea. Era la star del convegno, l'uomo di cui mio padre aveva sentito dire un gran bene e che finalmente poteva vedere di persona.

«Diamo ora la parola all'anglo-piemontese Umberto Zanotti-Bianco, nato a Creta nel 1889, meridionalista militante, archeologo e scrittore di valore, patriota di vecchia data, eroico combattente della Grande Guerra, fondatore dell'ANIMI, l'Associazione Nazionale per gli Interessi del Mezzogiorno d'Italia, e della Società Magna Grecia, che tanto bene hanno operato per la Calabria, presidente della Croce Rossa Italiana e ambientalista...»

Umberto Zanotti-Bianco fermò il presentatore con un gesto della mano e una battuta ironica che fece ridere la platea: «Basta, la prego. Per parlare di tutti i miei incarichi e i miei meriti dovreste organizzare un convegno intero, e io non sono ancora morto...». Poi ricostruì la storia della sua amicizia con Paolo Orsi, partendo dal loro casuale incontro nel 1911 sul traghetto per Messina e ripercorrendo le tappe del comune operare per il «bene della Calabria».

Malgrado la grande differenza di età, i due si erano capiti a meraviglia fin da subito. Il loro obiettivo tenace era di saldare il passato remoto al presente e svelare al mondo e agli stessi ignari calabresi la grandezza di una terra conosciuta solo per la povertà e l'arretratezza della popolazione e la violenza dei mafiosi.

Mio padre era entusiasta delle parole che ascoltava. Il Sud ha bisogno di gente così onesta e concreta per risorgere, pensava in quel momento.

Umberto Zanotti-Bianco parlava come un libro stampato, chissà quante volte aveva detto e scritto quelle parole: «Fu Paolo

Orsi che mi fece sentire il dovere della pietà per le creazioni d'arte del passato, silenziose educatrici degli spiriti del futuro, e mi spinse a creare nel 1920, in quel desolato dopoguerra, la Società Magna Grecia. L'intento era proprio quello di aiutare i miserevoli bilanci di Paolo Orsi...». Quindi elencò tutte le campagne di scavi che aveva finanziato, tra cui quella del tempio di Apollo Aleo, a Punta Alice, e quella sulla collina del Rossarco.

La chiusa fu una riflessione personale, profonda e un po' amara, che mio padre si appuntò per non dimenticarla: «Sarà mezzo secolo che percorro in tutti i sensi le terre dell'antica Magna Grecia. Per quanto istintivamente attratto da ogni testimonianza artistica e dal fascino delle ricerche archeologiche, tuttavia la miseria e i dolori di questa regione occuparono per intero la mia vita».

Alla fine del convegno, Michelangelo si avvicinò titubante al tavolo dei relatori e si presentò come il nipote del contadino che aveva trovato il tesoretto sul Rossarco.

Umberto Zanotti-Bianco rifletté per pochi secondi, allisciandosi il viso magro con le dita affusolate da pianista, poi gli sorrise: «È incredibile: da tempo avrei voluto venire sulla vostra collina, perché avevo promesso a Paolo di occuparmene e anche per interesse personale, essendo affascinato dal mistero di Krimisa. Purtroppo il fascismo me lo ha letteralmente impedito, interrompendomi sul più bello pure gli scavi a Sibari; in seguito sono stato bloccato dalla guerra e da mille altri impegni».

«Anch'io dopo la guerra avevo intenzione di chiedervi un sopralluogo. Ma non sapevo come contattarvi...»

«Lo vedete?» si intromise Marisa con un pizzico di saccenteria fatalista. «Gli incontri che devono accadere, prima o poi accadono.»

«A questo punto, credo che dobbiamo rivederci e riprendere le ricerche di Krimisa il più presto possibile» propose Zanotti-

Bianco. «Al momento stiamo lavorando a Santa Caterina dell'Jonio su alcuni progetti di rilevanza sociale. Appena finiamo, vengo con Marisa al suo paese, sicuramente ci sarà bisogno anche lì del nostro intervento. Abbiamo una macchina con autista a disposizione. Spero che vorrà farci da guida.»

«Certo» rispose Michelangelo arrossendo. «Con immenso piacere!» E salutò con una stretta di mano calorosa Zanotti-Bianco e poi Marisa, che ricambiò con il suo sorriso fresco.

Fu durante il viaggio di ritorno verso casa che Michelangelo sentì crescergli dentro un'angoscia aggrovigliata a dubbi che non aveva mai avuto prima e a un senso di impotenza che lo avrebbe accompagnato per tutta la vita. L'emozione provata nell'ascoltare storie dell'antica Magna Grecia e di chi cercava di salvaguardarne l'eredità, gli parve deplorevole di fronte alla misera realtà dei contadini che occupavano le terre dei latifondisti rischiando la vita.

Dal finestrino del treno osservava le brulle campagne del Crotonese che pullulavano di uomini donne bambini asini muli bandiere rosse. L'ultima riflessione di Umberto Zanotti-Bianco gli echeggiava nella mente senza scampo. E la sua angoscia cresceva.

Sceso alla stazione di Cirò, mentre andava a piedi verso Spillace, li vide da vicino, i contadini, esausti e incazzati come il padre, che se non fosse sparito sarebbe stato di sicuro al loro fianco. Che senso aveva cercare sottoterra la grandezza del passato, come aveva detto quella giovane dal sorriso fresco e dalla parlantina facile, se il presente era per i più un inferno?

Tra l'altro, era diventato un inferno di fiamme invisibili anche il presente della sua famiglia, con la madre e la nonna che parevano smarrite nell'assenza di Arturo e con la sorella ormai apatica e depressa, che non riusciva a liberarsi dell'immagine di

William appeso e insanguinato, mentre il padre le vagava nella mente come un fantasma senza requie.

Al paese si respirava un'aria tesa e malinconica, da fine del mondo. Il vento ululava da lupo affamato, sollevando la polvere della strada fino all'altezza del viso.

Michelangelo attraversò il corso principale con la sensazione di non essere solo. Piegò la testa in avanti per proteggersi gli occhi e vide l'ombra del vento selvaggio che gli svolazzava attorno: pareva il mantello nero che il padre indossava d'inverno, e pure la voce era del padre, un lugubre lamento che passo dopo passo diventava urlo di rabbia, canto di protesta, eco di chitarra battente.

28

Nei giorni di festa Lina apparecchiava anche per il marito, metteva nel piatto una porzione di tagliatelle al sugo di capretto e, per evitare che si raffreddasse, la copriva con un altro piatto, versava il vino al commensale assente e infine mangiava assieme agli altri, sempre con le orecchie tese verso la porta, come se Arturo dovesse rincasare da un momento all'altro.

I familiari vivevano quella scena teatrale con una tenerezza rassegnata. «Ancora un po', ohi ma'. A papà piacciono molto le tagliatelle» recitava Ninabella da brava attrice comprimaria, mentre la nonna approvava con un cenno della testa, gli occhietti spersi nel fumo del piatto, e Michelangelo cominciava a mangiare dopo un rapido «buon appetito» lanciato alla sedia vuota. Nessuno osava contraddire Lina e chiudere con un gesto d'imperio ragionevole quella sceneggiata scaramantica.

Erano passati sei anni dalla scomparsa di Arturo: in paese si parlava di lui come dell'ultima vittima del nazifascismo, le cui ossa andavano ricercate nella Timpalea, la timpa furiosa del diavolo; in casa i familiari facevano i sordi e i ciechi per eludere la fredda verità e sostituirla con una bugia emozionante, che almeno lasciava aperto uno spiraglio di speranza.

Alla fine toccava a Michelangelo mangiare la porzione del padre e berne il vino, a meno che non arrivasse un ospite inatteso, magari un giovane portato dagli organizzatori della festa di sant'Antonio o santa Vènnera, uno dei musicanti della banda che suonava quel giorno oppure un teatrista che doveva esibirsi la sera in piazza. Arturo, che era stato tra i più attivi organizzatori delle feste, ne sarebbe contento, diceva donna Lina accogliendo a braccia aperte il forestiero. E così disse e fece quando il giorno di Pasqua si presentò a casa Arcuri uno straniero che parlava in italiano contorcendo la bocca come se stesse mangiando una patata bollente.

L'uomo non si sorprese più di tanto per l'invito a pranzo. Conosceva la loro ospitalità, disse sedendosi a tavola, dalle lettere di William. E continuò a raccontare nel silenzio spezzato dal rumore delle posate.

Gli Arcuri ci impiegarono un po' a sintonizzarsi con il modo di parlare dello straniero. Poi trasalirono, si commossero, le donne piansero. Quell'uomo era il fratello di William/Mino. E, a guardarlo bene, gli assomigliava molto: alto, capelli chiari, un po' rossicci, occhi di un azzurro intenso; solo che era più anziano di William, rimasto freddato nel cuore della giovinezza. Non avevano notato subito la somiglianza per via dei suoi abiti, un completo elegante, impreziosito da gilè e cravatta.

«Sono venuto a prendere mio fratello dal cimitero di Spillace per portare lui in tomba di famiglia, a Londra» disse calibrando le parole. Bevve un sorso di vino, commentò: «Aveva ragione mio fratello, questo vino è very good, il migliore di mondo». Poi rivelò il contenuto delle lettere: l'affetto di William per la famiglia Arcuri, la venerazione nei confronti di Mister Arturo e della collina rossa, di cui parlava come di un essere umano, una madre accogliente, bellissima e profumata, un paradiso in terra.

L'uomo, che aveva detto di chiamarsi David, mangiava con appetito e soprattutto beveva il vino forte, beveva per farsi coraggio.

Per qualche secondo guardò in direzione di Ninabella che abbassò la testa sul piatto. E, quando fu pronto e l'azzurro dei suoi occhi divenne un mare in tempesta, rivelò il secondo motivo del suo viaggio a Spillace.

William, in ogni sua lettera, aveva parlato di lei, della ragazza dai capelli ondulati e gli occhi splendenti, che sognava di diventare pittrice. Già alla seconda lettera confessava di esserne innamorato e alla quarta che l'avrebbe voluta sposare e insieme avrebbero girato il mondo. No, William non aveva mai rivelato il proprio amore a Ninabella. Però sapeva che quel sentimento era ricambiato e che la famiglia di lei lo aveva intuito. Perciò aspettava fiducioso che finisse la guerra. Questo scriveva nelle lettere. Non immaginava certo quella fine orrenda.

David bevve un lungo sorso di vino e respirò profondamente: «Sono qui per dire a suo nome e dei miei genitori thank you, grazie a tutti voi, e invitare Miss Ninabella a Londra: potrà vivere a nostra casa e frequentare una accademia di pittura a nostre spese, così realizza il suo sogno. Per noi sarà una di famiglia» concluse con parole chiare e speranzose, ripetute chissà quante volte a memoria.

Gli Arcuri smisero di mangiare all'unisono. Ninabella non sapeva dove posare lo sguardo, era diventata rossa dall'imbarazzo, il seno le guizzava sotto la camicetta della festa al ritmo forsennato del respiro. Non disse niente, non sapeva che dire, nessuno osò parlare.

David sorrise, per nulla sorpreso di quel silenzio gelido: «Non dovete dire subito sì. Noi aspettiamo Ninabella quando vuole. Può venire a Londra con fratello, ospiti a nostra casa, e poi decidere. Okay?».

A rispondere fu la vecchia Sofia: «Mino era un figlio per noi. Secondo me era indestinato a sposarsi la nipote mia, lo capivo dall'occhi di tutt'e due. Mo' è andata come è andata. Se hai pacènza, figlio mio, Ninabella è la più sperta per ti dare la risposta giusta quand'è l'ora».

Donna Lina lo invitò a dormire da loro quella notte, ché a Spillace non c'erano alberghi. E Michelangelo si mise a disposizione per aiutarlo a sbrigare la faccenda delicata del trasporto della salma, anche se David aveva tutta la documentazione necessaria.

Ninabella non si mosse da tavola nemmeno per aiutare la madre a sparecchiare. Disse solo «grazie» a occhi bassi quando David le porse uno dei regali che aveva portato per la famiglia Arcuri: un elegante cappellino con la veletta di pizzo.

L'inglese si fermò tre giorni a Spillace, ospite gradito di casa Arcuri. Era un giovane aperto, in poco tempo aveva familiarizzato con Sofia e donna Lina, che mostravano un vistoso debole per lui, e con Michelangelo e i suoi amici. Soltanto Ninabella gli restava un enigma. La vedeva a tavola, come se lei dal primo incontro non si fosse mai mossa da lì. Non un sorriso, una parola, un gesto gentile. Più che fredda, pareva assente, con la testa altrove.

Il giorno della partenza di David, però, sorprendendo tutti, Ninabella gli consegnò il ritratto di William. Sollevò lo sguardo dagli occhi incantati del dipinto a quelli sorpresi di David. «Questo è per vostra madre» disse. E lanciò un bacio verso la bara, pronta per il lungo viaggio di ritorno a Londra.

29

Il 29 ottobre del 1949 nel fondo Fragalà di Melissa, a un tiro di schioppo da Spillace, la celere sparò contro dei contadini inermi uccidendone tre, due uomini e una donna. La loro colpa? Stavano occupando le terre incolte del barone Berlingieri. L'eco degli spari s'insinuò a ondate ritmiche e paurose nell'aula della quarta classe di Michelangelo. I bambini smisero di scrivere e con il loro maestro si affacciarono alla finestra. In meno di un'ora la notizia rimbalzò di collina in collina, di bocca in bocca, e arrivò nella piazza di Spillace come un uragano temuto e devastante.

Michelangelo cercò di tranquillizzare i bambini che avevano i genitori in giro per le campagne a occupare le terre di don Lico: «Hanno sparato a Melissa, da noi è tutto pacifico. Non abbiate paura: i vostri genitori torneranno sani e salvi, stasera». Ma il primo a non capacitarsi dell'accaduto era proprio lui, il signor maestro Arcuri. Non conosceva i contadini uccisi, però li immaginava con lo sguardo fiero del padre, li sentiva familiari, sangue del suo sangue.

Quel crimine non lo avrebbe mai scordato e, quando mi parlava delle ingiustizie sanguinose subìte dalla nostra gente, partiva sempre dai fatti di Melissa e non si stancava mai di raccontarmeli.

Umberto Zanotti-Bianco arrivò a Spillace in macchina, accompagnato da Marisa Marengo e da un autista, e subito lesse negli occhi di Michelangelo la rabbia repressa a stento e il senso di impotenza di fronte a nemici che gli sembravano imbattibili, tutti questi don Lico del cazzo contro cui aveva combattuto il padre, arpie condannate, sconfitte e sepolte dalla storia, che poi risorgevano con altri nomi, altri colori, altre violenze.

Erano trascorsi circa tre anni dall'eccidio, il Parlamento aveva approvato la riforma agraria, a don Lico erano state espropriate le terre incolte – in totale quasi milleottocento ettari distribuiti in cinque comuni – mentre le migliori aveva fatto in tempo a dividerle tra i figli e i nipoti, prima di ritirarsi per sempre a Catanzaro.

A Spillace i contadini erano diventati scettici e disillusi, si sentivano traditi dai politici di tutti i colori, che dopo i morti di Melissa avevano promesso mare e monti e, a conti fatti, ogni famiglia aveva ottenuto una piccola quota di terra pietrosa. Eppure era bastato l'arrivo di Zanotti-Bianco per portare in paese una ventata di vitale ottimismo.

«Purtroppo non sono tempi per pensare agli scavi, questi» disse rivolto a Michelangelo, dopo aver ascoltato i problemi della gente. Il giovane maestro gli lanciò uno sguardo di intesa, un altro lo riservò al sorriso fresco di Marisa, che stava in mezzo a loro.

In una sola giornata Zanotti-Bianco propose e organizzò una cooperativa agricola, la nascita di un asilo e la creazione di una scuola serale per la popolazione adulta che in gran parte era analfabeta. I mezzi finanziari li avrebbe messi a disposizione lui, attraverso l'ANIMI; i locali, la nuova amministrazione comunale; ma la cosa principale, la volontà, disse, dovevano mettercela i cittadini di Spillace. Parlava davanti al sindaco, alla famiglia Arcuri e a una folla di contadini con mogli e figli che erano andati ad accoglierlo in piazza. I suoi occhi azzurri riuscivano ad abbracciare tutti i presenti, a infondere sicurezza. «È inutile piangersi addosso» affermò convinto, «se il potere costituito latita o è contro di noi, noi dobbiamo affrontare la vita di petto, come hanno fatto i contadini nostri in questi anni, senza aspettare che siano gli altri a risolverci i problemi dall'alto, ma provarci da soli, passetto dopo passetto. Qui c'è bisogno di pane e lavoro, d'istruzione e cultura. Occorre partire da azioni concrete per creare le basi di un mondo nuovo. Lo so che tutto questo può sembrare un sogno, lontano e inafferrabile come le stelle dalla nostra miseria quotidiana. Noi comunque dobbiamo crederci e, soprattutto, volerlo.»

Da abile oratore, fece una lunga pausa e concluse con una frase memorabile, che Marisa conosceva per averla letta in un suo scritto, ma che Michelangelo si affrettò ad appuntare: «Tutti i mondi nuovi sono costruiti con questi frantumi di stelle, di sogni».

La prima ad applaudire fu Marisa Marengo, un lungo applauso inizialmente solitario, che divenne in poco tempo collettivo, liberatorio.

La giovane donna, che fino allora aveva collaborato con Zanotti-Bianco nei progetti archeologici, si mise a disposizione per insegnare nella scuola serale, senza compenso, disse, già dall'indomani.

Michelangelo appoggiò l'iniziativa con slancio e propose di fare subito un giro in paese per iscrivere gli adulti alla scuola serale e i bambini all'asilo. Munito di un quaderno e una matita, passò con Marisa di casa in casa, mentre Zanotti-Bianco e il sindaco contadino gettavano le basi della cooperativa agricola.

Raccolsero ben sessantatré iscrizioni per l'asilo e settantuno, quasi tutte di coppie, per la scuola serale. In cima a quest'ultima lista c'era donna Lina. «Io ho frequentato fino alla terza elementare, un giorno sì e tre no, e mi ricordo a malappena come segnare la mia firma. La capa non mi mancava, mi mancava il tempo e la pila per i libri e i quaderni ché papà mio non ci spediva un dollaro dalla Merica» disse a cena, rivolta all'ospite.

«Lei, signora, è molto più in gamba di tante persone istruite che conosco. Sono sicuro che con l'aiuto di Marisa riuscirà a recuperare il tempo perduto» le rispose Zanotti-Bianco.

Mangiarono con gusto, mettendo a punto gli ultimi dettagli delle iniziative. La scuola serale avrebbe avuto due classi, una di trentasei allieve e una di trentacinque scolari. Nella prima avrebbe insegnato la dottoressa Marisa Marengo, che si sarebbe fermata a Spillace e inoltre avrebbe mantenuto i contatti con l'ANIMI; nella seconda, il maestro Michelangelo Arcuri. Per l'asilo avrebbero chiamato due suore e due maestre da Crotone.

In un lampo si risolse anche il problema del soggiorno di Marisa. «Se volete» le disse Ninabella, «potete dormire in camera mia, ci sono due lettini, è un poco stretta, però possiamo arrangiarci.» Marisa accettò volentieri.

Più tardi, quando accompagnarono gli ospiti alla macchina, la Torinèsia prese a braccetto Ninabella e camminò al suo fianco, come una vecchia amica.

Umberto Zanotti-Bianco era stremato ma soddisfatto. L'ultima promessa, prima di partire, la fece a Michelangelo: «Appena passa l'emergenza, ci dedichiamo alla vostra collina. Krimisa è sempre nei miei pensieri. Intanto cerco i fondi per una campagna di scavi decisiva. L'ho promesso anche a Paolo Orsi. Non sarà facile, ma ci riusciremo».

Marisa dimostrò una capacità di adattamento non comune. Pur provenendo da una famiglia borghese e benestante di una grande città del Nord, non si lamentò mai della vecchia casa degli Arcuri priva di luce elettrica, acqua corrente e riscaldamento.

Anzi, nelle giornate invernali, il fuoco del camino scoppiettante in cucina le piaceva molto per l'intimità del calore che sprigionava: davanti si sedevano in semicerchio i familiari e i vicini a raccontare le storie mitiche del passato e i pettegolezzi del presente. «Ho alle spalle tre dure campagne di scavi in Grecia, ho dormito in tenda per lunghi periodi, al confronto la vita di qua è una pacchia» tranquillizzava gli Arcuri preoccupati.

Donna Lina era riconoscente a Marisa per i complimenti alla bontà del suo cibo e alla generosa ospitalità, e ricambiava elogiandone pubblicamente la spertizza come femmina e come maestra: grazie a lei, donna Lina in pochi mesi aveva imparato alla scuola serale molto di più che nei tre anni di elementari.

Era sempre al lavoro, Marisa, una faticatòra di capa e di braccia, non si stancava mai. Di giorno teneva i contatti con l'ANIMI, scriveva lettere e telegrammi, compilava domande per pensioni di guerra o di invalidità; la sera insegnava con competenza e dedizione; nei ritagli di tempo aiutava gli Arcuri nei lavori domestici o addirittura nei campi, durante la vendemmia e la raccolta delle olive.

Con il Rossarco era stato amore a prima vista. Marisa l'aveva accarezzato a lungo con lo sguardo commentando stupita: «Incredibile: mi sembra di conoscerlo, questo posto. È come se ci fossi già stata. Ma quando? Con chi?».

A perlustrare i siti archeologici del Crotonese, compresi i resti dei templi di Apollo Aleo a Punta Alice e di Hera Lacinia a Capo Colonna, si recava la domenica, da sola, appuntando in un'agenda le sue osservazioni.

In primavera acquistò a Crotone una Vespa di seconda mano, che lei chiamava "il mio asinello" e che le consentiva di spostarsi più rapidamente nelle strade disastrate di allora. Quando guidava, indossava dei pantaloni che le mettevano in risalto le lunghe gambe e degli occhialoni contro la polvere.

Le donne, soprattutto le sue coetanee, anziché criticarla, come avrebbero fatto se una di loro avesse osato guidare una moto o semplicemente indossare i pantaloni, ne parlavano con sincera ammirazione. Nei confronti della Torinèsia aleggiavano una benevolenza e una stima collettive; l'unica voce pettegola che la reputava l'amante o addirittura la zita segreta di Michelangelo era scontata e dunque innocua.

In realtà Michelangelo la rispettava ritenendola una collega preparata, una sorta di creatura di Umberto Zanotti-Bianco dal quale aveva ereditato il carattere ottimista e, come lui, sempre oscillante tra pensiero e azione, sempre in movimento, mai pigra e stanca, con il sorriso fresco della prima volta. Certo, se alla base di un profondo sentimento d'amore c'è il rispetto, si può dire che Michelangelo si stava innamorando di Marisa senza rendersene conto. Per giungere alla consapevolezza reciproca, allo sguardo incredulo e al successivo bacio da cui sarebbe dilagato l'amore di una vita, dovettero aspettare l'inizio di giugno.

Nel frattempo l'affetto di Marisa veniva calamitato da Ninabella che condivideva con lei la stanza e i segreti. Al buio, sdraiate nei loro letti posti uno accanto all'altro, le due giovani donne parlavano fino a notte fonda.

Una delle qualità di Marisa era la propensione all'ascolto. E così Ninabella poteva raccontare del padre, della sua scomparsa misteriosa e della speranza di rivederlo vivo, un giorno. Confessava l'amore per William che non riusciva a scordare, malgrado fosse morto da quasi dieci anni, la voglia di trasferirsi in Inghilterra pur di fuggire dalla propria memoria ferita e da Spillace che le stava stretto, la soffocava. L'invito di David le pareva troppo generoso per essere vero, però non riusciva a levarselo completamente dalla testa.

«Tu, al mio posto, che faresti?» chiedeva a Marisa. E Marisa rispondeva sempre allo stesso modo: «Partirei. Senza dubbi. Tu qua non stai vivendo, stai vegetando come un bell'albero fiorito, e ancora per poco».

«Ma come faccio a vivere in una città straniera, dove non conosco nessuno? Non so una parola d'inglese. Come faccio?»

«Un po' di inglese, se vuoi, posso già insegnartelo io. Per il resto, Londra non ti deve spaventare: è una città ricca di stimoli, è quella che ti ci vuole per non inaridirti ancora. Vedrai come ti sarà facile conoscere gente diversa e magari innamorarti di nuovo.»

Ogni notte questi ragionamenti sempre più profondi, più persuasivi, inframmezzati da semplici lezioni di inglese, quasi per gioco. Fino a quando un mattino Ninabella annunciò ai suoi familiari che sarebbe partita per l'Inghilterra.

Non aspettò il loro consenso, che probabilmente avrebbe avuto dopo qualche pianto e almeno un tentativo di dissuasione. La madre e la nonna ebbero appena il tempo di chiederle incredule: «Cosa?», come se non avessero capito. Lei si sentiva serena per la prima volta dai fatti sanguinosi della collina rossa. E decisa. Infatti ripeté senza l'ombra di un solo dubbio negli occhi: «Partirò da sola. Per fare sul serio ciò che più mi piace al mondo: la pittora».

30

«Dài, non aver paura, sali sulla moto.» Marisa pronunciò la frase in tono affabile ma fermo. «Giuro che guido prudente.»

«Dove andiamo?» chiese Michelangelo perplesso e intanto si sistemò dietro di lei, toccandola appena alla cintola con i polpastrelli.

«Sulla collina del Rossarco. In un quarto d'ora siamo là.»

La Vespa partì dalla piazza sollevando una nuvoletta di polvere. Era una mattinata di metà giugno, Spillace si lasciava avvolgere pigra dal vento caldo, lungo il corso s'intravedevano solo cani, qualche vecchia e le loro ombre incredule e spaventate al passaggio della moto guidata dalla Torinèsia.

Lei salutava con vistosi cenni della testa, abbassandosi pericolosamente in una sorta di inchino ironico, e di conseguenza il suo busto si sfilava dalla presa fragile di Michelangelo, che era costretto ad agguantarlo con più forza se non voleva cadere all'indietro. Più che in una presa decisa, le sue mani parevano impegnate in carezze ruvide e timide. Poi il suo petto aderì alla schiena di Marisa come una ventosa: era iniziata la discesa.

Per un lungo tratto restarono appiccicati in un abbraccio inevitabile. Michelangelo sentiva il cuore che gli batteva sempre più rapido ed ebbe paura che lei potesse accorgersene.

Arrivati nella piana, Marisa accelerò e i suoi capelli svolazzarono liberi in tutte le direzioni e, nelle curve, ospitarono il viso di Michelangelo come un nido profumato.

All'imbocco della mulattiera ripida e scoscesa che portava sulla collina, le ruote cominciarono a slittare, allora Marisa spense il motore e disse: «Proseguiamo a piedi».

Il Rossarco li accolse con i suoi colori più sgargianti, tra cui spiccava il giallo delle ginestre, e il profumo così intenso che entrambi chiusero gli occhi per gustarne in pieno la fragranza.

«Così m'immagino l'odore del paradiso» disse Marisa; Michelangelo sorrise lusingato, come se fosse lui il destinatario del complimento.

Riaprirono gli occhi nello stesso istante e furono sorpresi del desiderio reciproco che videro baluginare nelle loro pupille.

All'inizio si baciarono senza stringersi e, con le labbra incollate, si abbassarono lentamente fino a ritrovarsi sdraiati l'uno sull'altra. Fu un bacio lunghissimo che sarebbe durato in eterno se lei non avesse preso l'iniziativa di spogliarsi. E quando lui vide il suo corpo bianco sul rosso della sulla, quando ebbe tra le mani i seni sodi e guizzanti di passione, quando all'improvviso prese coscienza che Marisa era la donna della sua vita e che dentro di sé l'aveva intuito da mesi, ma non voleva ammetterlo per scaramanzia, quando finalmente si spogliò anche lui e smise di contemplarla come l'opera d'arte più bella del mondo e la accarezzò con i polpastrelli e con le mani e con tutto il corpo, sentendo che fremeva di voglia, allora la strinse con tutta la forza e la dolcezza di cui era capace. E fu l'uomo più felice della terra.

Alla fine Marisa appoggiò il viso sul petto di Michelangelo e ammirò soddisfatta il mare. Per un po' non parlarono, sembravano storditi. Poi lei, anziché commentare quanto era successo fra loro, ribadì il suo amore per la collina: «Dio, com'è bello qui, mi sembra di esserci stata da sempre. È l'angolo più affascinante e misterioso della terra».

«Ti amo» disse lui e la baciò sui capelli. Profumavano di collina. «Ti amo» ripeté.

Lei fissava il rosso porpora della sulla che copriva per intero il versante del Piloru. Pareva sorda, assente. Infatti non rispose, se non con un mezzo sorriso distratto.

Le prime due lettere giunsero dopo circa un mese dalla sua partenza per Londra, una indirizzata ai familiari e una a Marisa. Ninabella tranquillizzava tutti che stava bene, non si era pentita di quel viaggio, scriveva, la famiglia di William la stava ospitando con il cuore, aveva una grande casa lussuosa, con l'acqua calda, tre bagni, la luce elettrica e il telefono, meglio non le poteva capitare.

Come promesso, era stata iscritta alla migliore accademia londinese di pittura. Naturalmente aveva dovuto ricominciare da zero, comunque ne valeva la pena. E a Marisa raccontava pure di David, che era gentile e simpatico come William, le faceva una corte assidua ma non insistente e, insomma, cominciava a piacerle, però non lo amava, su questo non aveva dubbi, ancora non lo amava. In entrambe le lettere e anche in quelle successive non dimenticò di accennare al padre, "il mio caro papà che certi giorni sembra inseguirmi nella folla e, quando mi giro, lui non c'è e al suo posto vedo la scia di uno sguardo vivo che sparisce in un attimo".

Sofia e Lina seppero della relazione tra Marisa e Michelangelo dalla terza lettera di Ninabella, che augurava ironicamente alla nuova coppia tanti figli maschi. La notizia venne ritenuta più che fondata da entrambe e se ne rallegrarono, senza commentarla.

Michelangelo, leggendo la lettera a voce alta, arrossì come un ragazzino; Marisa fece finta di niente, quasi che la notizia non la riguardasse.

Non era superficialità, la sua, mi ha ripetuto cento volte mio padre difendendola, lei viveva tutte le esperienze della vita con naturalezza, la coscienza a posto, senza sotterfugi e inganni, con assoluta sincerità. Non le interessavano i commenti degli altri, lei faceva le cose che riteneva giuste. L'esatto contrario di Michelangelo, che non sapeva ascoltare la sua voce interiore ed era succube della volontà della madre e della nonna, succube persino del fantasma del padre, che dal suo mondo gli trasmetteva messaggi inibitori, soprattutto di notte o sul Rossarco.

«Devi trovare la tua strada, devi cambiare, altrimenti soffri per ogni sciocchezza o ciotìa, come dite voi, soffri per colpa degli altri che non vogliono o non possono capirti» gli consigliava Marisa.

Lui era d'accordo: «Non posso continuare così all'infinito, hai ragione»; ma poi ripeteva l'errore di fondo: si martoriava quando doveva prendere una decisione e soppesava tutte le conseguenze dei suoi comportamenti nel bene e nel male, ancora condizionato dalle voci pettegole del paese che non riusciva a ignorare.

«Mi ami?» continuava a chiederle.

«Certo, sei proprio uno zuccone se non lo capisci» rispondeva Marisa. E fino alla chiusura delle scuole serali, ogni notte lo accoglieva nel suo letto, nuda e innamorata. Bisognava essere zucconi di quelli duri come sassi per non cogliere l'amore nelle mani che lo accarezzavano, nelle labbra che lo baciavano dappertutto, nel corpo che si apriva a lui con l'eccitazione più gioiosa. E Michelangelo, zuccone per insicurezza, si lasciava contagiare, l'amava con tutte le sue forze, le baciava ogni centimetro di pelle, i seni sontuosi, l'interno delle cosce, persino i piedi, ed era davvero felice, «sono felice» le diceva, «solo quando sto con te». Poi la sua voce interiore si trasformava in quella del padre: «Mai ammettere ad alta voce di essere felici, porta male». E si pentiva.

Lei lo ascoltava a occhi chiusi, non le piaceva parlare in quei momenti, però il suo viso splendeva di una felicità che squarciava il buio. Una felicità luminosa.

Quando arrivò il giorno della partenza per Torino, Marisa lasciò la moto a Michelangelo come pegno e gli promise con certezza: «Torno presto».

Lui provò a convincerla, a supplicarla: «Ti prego, resta ancora qualche settimana. Ora che le scuole sono chiuse, possiamo trascorrere un bel periodo di vacanza al mare di Punta Alice o, se vuoi, in giro per la Calabria. Non partire, ti prego».

«Devo. Ho promesso ai miei genitori di passare qualche settimana con loro, a Torino. Ne hanno diritto e io lo desidero. E poi incontrerò Umberto e i suoi collaboratori: spero che troveremo i finanziamenti per la ricerca di Krimisa. Voglio organizzare una campagna di scavi con i fiocchi. Torno presto, vedrai.»

Scavi

Ho percepito lo sguardo ironico di Simona su di noi, mentre scavavamo. Non avrei dovuto accettare la richiesta di aiuto da parte di mio padre. Fin dall'inizio avevo scavato senza convinzione, mi sembrava una follia, anzi "l'arte dei pazzi", come l'avrebbe definita Simona. Per giorni e giorni a sudare sotto il sole cocente.

Non abbiamo trovato nulla perché non c'era nulla da trovare, ne ero sicuro. Mio padre parlava da solo, a pochi metri da me, parlava al vento, ogni tanto pronunciava il nome di mia madre, burbero e insoddisfatto. Mi pareva che neanche lui nutrisse la speranza di scoprire qualche traccia dell'antica Krimisa. Forse aveva ragione la nonna: Krimisa si trovava nella collina oblunga che si chiama Krisma, di fronte a Spillace. Mio padre scavava per scavare. O forse il suo unico scopo era quello di rinvenire la tomba di Arturo, magari uno scopo scaramantico, perché in cuor suo sperava ancora che il padre non fosse stato ucciso né sul Rossarco né altrove.

Un giorno gliel'ho detto: «Stiamo facendo l'arte dei pacci, qui non c'è nulla».

Lui si è infuriato e mi ha risposto prontamente, come se non si aspettasse altro che quelle mie lamentele: «Vattene se non mi vuoi aiutare. Che aspetti! Io continuo da solo, come sempre».

Non ho reagito. Gli ho girato le spalle e ho ripreso a scavare. L'ho sentito lamentarsi ad alta voce, ma non ho capito le sue parole, a parte il nome di mia madre che mulinava nel vento.

L'unico conforto di quei giorni era il tempo che avevo per pensare. Scavavo e ricomponevo gli ultimi tasselli di questa storia; scavavo e sotto i miei occhi scorrevano i fatti che avevano sconvolto la mia adolescenza; scavavo e rivivevo l'esplosione di felicità quando Simona mi aveva annunciato che aspettavamo un figlio; scavavo e di nuovo mi perdevo nei meandri più bui della collina; scavavo e non vedevo l'ora di ritornare da Simona.

Un pomeriggio, scavando accanto a mio padre, ho trovato due ossa abbastanza lunghe, scheggiate alle estremità. Le ho pulite per bene con una spazzola, ma né io né lui abbiamo saputo dire se appartenessero a uno scheletro umano o animale, se risalissero ai tempi di Krimisa o ai nostri giorni. Comunque questo ritrovamento mi ha richiamato alla mente gli scheletri scoperti da Paolo Orsi e, senza esitare, ho chiesto a mio padre di raccontarmi la verità.

Lui ha cercato di eludere la domanda, dicendo che le nuove ossa sembravano fossilizzate, quindi dovevano essere antiche; poi di fronte alle mie occhiate incalzanti è stato vago: «Conosco solo una faccia della verità...». E ha ripreso a scavare.

«Cioè? Racconta» ho insistito io.

E lui: «Non avere fretta. Prima ho da raccontarti storie più importanti di questa, storie che non...». Si è interrotto all'improvviso. «Vieni a vedere! Qui ci sono altri frammenti di ossa, decine...» ha gridato continuando a scavare. «Anche qui, vieni subito! Quest'area va scavata con attenzione...»

Per due giorni, oltre a qualche cranio con tutti i denti in bocca, abbiamo disseppellito centinaia di ossa, quasi a ogni colpo di piccone ne sbucava uno intero o spezzato. Le pulivamo alla meglio e le ammucchiavamo sotto l'ulivo gigante, in attesa di mostrarle a un esperto. «Peccato che non c'è tua madre, peccato» sentivo ripetere a mo' di litania. Alcuni reperti sembravano fossilizzati, altri impressionavano per la lucentezza, splendevano al sole come nuovi. Mio padre ne era affascinato, li girava tra le mani quasi con affetto: «Forse è davvero la necropoli di Krimisa, forse è un campo di battaglia dei tempi di Annibale... e forse la nostra collina si chiama Rossarco per quella battaglia sanguinaria di cui si era persa memoria...».

«Oppure è un cimitero della 'ndrangheta» ho aggiunto io, stufo dei suoi forse. Mio padre mi ha fulminato con uno sguardo e ha ripreso a scavare.

Un giorno gli ho comunicato che l'indomani sarei partito, con una settimana di anticipo rispetto al previsto.

«Ah!» ha esclamato senza commentare. Ma nel tono della voce, nello sguardo agghiacciante si coglieva tutta la condanna della mia decisione.

«Ieri sera mi ha chiamato Simona e mi ha detto che ci sono delle complicazioni nella gravidanza. Sono preoccupato...»

«Be', se è così, devi partire subito» ha detto comprensivo. E appena ho ripreso a scavare, mi si è avvicinato e con una pacca sulla spalla mi ha suggerito di tornarmene a Spillace: «Vai a preparare le valigie con calma, qui proseguo io».

Quella notte non riuscivo ad addormentarmi. Mi succedeva prima di ogni partenza: la mia testa faceva l'esatto contrario di quanto le chiedevo, cerca di dormire, domani hai un lungo viaggio in macchina da affrontare, devi essere riposato, dormi, saranno le due di notte, o le tre, dormi, e più mi impuntavo a dormire più mi innervosivo. A un certo punto ho cominciato a sentire i passi inquieti di mio padre che calpestavano la sua stanzetta da letto quasi con rabbia, come un animale in gabbia. Me lo sono immaginato che fumava, furibondo, e finita una sigaretta se ne accendeva un'altra, senza soluzione di continuità, per risparmiare i cerini, diceva scherzando. Poi preparava la caffettiera, accendeva il gas e apriva il portoncino, imprecando contro i gatti che occupavano la sua sdraio. Ho guardato la sveglia: erano le quattro. Mio padre ha ripreso a camminare nella mia testa, fumando. Addio, ultime ore di sonno. La sua inquietudine penetrava nella mia stanza e mi inondava in pieno. A quel punto non aveva senso perdere altro tempo a letto. Mi sono fatto la doccia, ho preso un caffè e sono partito.

Dopo qualche chilometro e l'ennesima curva, mi è apparsa la collina illuminata in pieno dal sole che era appena sbucato dal mare. Da quella distanza mio padre sembrava una macchia di bianco e di blu dai contorni oscillanti. Accanto a lui, altre tre o quattro macchie di colore in movimento. Erano i suoi amici marocchini. Stavano già scavando.

Ho parcheggiato davanti alla casella e, prima che scendessi dalla macchina, lui mi è venuto incontro, indicandomi da lontano la roba che mi aveva lasciato sul pianerottolo. Erano taniche di olio e di vino, borse con pani e taralli, sacchi di patate, cassette di cipolle rosse, peperoni e pomodori, trecce di aglio e palette di fichi d'India, ceste di uva nera e "coglioni di gallo", vasetti di funghi sott'olio e di olive in salamoia.

Mi ha aiutato a caricare la macchina. Poi mi ha baciato tremando di commozione, pungendomi le guance con la sua barba ispida. Ho provato un dolore eccessivo. Aveva gli occhi umidi. Si è sforzato invano di sorridermi. «Abbracciami Simona, e il piccolo, quando nascerà. Buon viaggio.»

Sembrava l'ultimo saluto di un moribondo.

31

Marisa non mantenne la promessa di tornare presto a Spillace. Non poteva, aveva scoperto di essere incinta due giorni dopo l'arrivo a Torino. Fu l'unica volta nella sua vita che non seppe immediatamente come comportarsi. Il padre, pragmatico e deluso, le aveva consigliato di abortire; la madre, fervente cattolica, la scongiurava di non commettere un delitto del genere, l'avrebbero aiutata loro a crescere il bambino, se questo giovane maestro calabrese si fosse rifiutato di riconoscerlo.

Per scrupolo Marisa scrisse una breve lettera a Michelangelo: "Caro amore mio, non posso tornare subito, come ti avevo promesso, perché sono incinta e ho una grande confusione in testa e nell'anima. Non pretendo niente da te, non è colpa tua quello che è successo: siamo stati troppo ingenui, entrambi, io più di te. Ti scrivo solo perché mi sembra giusto che tu sappia la verità da me. Ti amo tanto. Marisa".

Michelangelo giunse a Torino due giorni dopo il ricevimento della lettera. Era stanco del lungo viaggio, ma felice di rivedere Marisa e della gravidanza. Non lo sfiorò un secondo l'idea dell'aborto, nessun dubbio su cosa fare, anzi, sicuro che la creatura in grembo fosse un maschio, la chiamò «nostro figlio» con un orgoglio caparbio, convincente.

Lei lo baciò con le lacrime agli occhi, davanti ai suoi genitori. E lui non perse tempo, approfittò della commozione generale per chiedere al padre la mano della figlia, come avrebbe fatto in Calabria.

Così si sposarono, prima che la pancia diventasse troppo ingombrante e visibile. Non in municipio, come aveva proposto Marisa, bensì in una chiesetta del centro, per accontentare le due mamme.

Fu una cerimonia sobria con una ventina di invitati in tutto, tra cui si distingueva il testimone di nozze Umberto Zanotti-Bianco. Dal paese era arrivata in treno solo Lina e da Londra Ninabella con il fidanzato David, che avrebbe sposato quell'autunno.

Alla fine era successo ciò che tutti in segreto avevano sperato. E il più raggiante per la lieta conclusione sembrava il fratello di William, che già si rivolgeva alla sua Ninabella con le premure di un marito innamoratissimo.

Lina era soddisfatta: nell'arco di un anno avrebbe sistemato i suoi due figli. Non le importava che la sposa fresca fosse torinèsia e il futuro marito addirittura inglese. L'importante è che sono felici, come avrebbe detto il suo Arturo se fosse stato con loro.

La cerimonia terminò in quel momento e Lina, abituata agli sposalizi che riempivano la chiesa di Santa Vènnera, non rinunciò a un commento ironico: «Quanta gente, che folla! Sembra il matrimonio di una principessa».

«Però una sposa accussì bella e sperta a Spillace non si è mai vista» ribatté Ninabella strizzando l'occhio complice al fratello. In effetti Marisa era più attraente del solito, il petto esaltato dalla gravidanza e la figura più slanciata grazie ai tacchi alti e al vestito lungo.

«Siete una coppia perfetta» disse Umberto Zanotti-Bianco quando li baciò per gli auguri. «L'ho capito appena vi ho visti al liceo di Crotone che siete fatti l'uno per l'altra. Vi auguro tutta la felicità di questo mondo, ve la meritate.» E partì per Roma prima del pranzo nuziale perché l'indomani aveva un impegno al Parlamento, si giustificò, essendo stato nominato senatore a vita proprio in quei mesi.

Michelangelo rimase a Torino fino alla riapertura delle scuole e vi ritornò per le vacanze di Natale.

Nella grande casa dei suoceri si sentiva smarrito, sebbene Marisa gli stesse vicino, a tavola lo coinvolgesse nelle conversazioni e poi lo costringesse a lunghe passeggiate per la città, lei con il pancione scalpitante e la ritrovata sicurezza pregravidanza, lui con il vestito delle feste e una cravatta che lo strozzava, facendolo sembrare goffo come un paesano.

Quando nacqui in un asettico reparto dell'ospedale Sant'Anna di Torino, mio padre era a Spillace, impegnato a scuola o sulla collina profumata, dove lo aveva scodellato sua madre. Mio nonno Cesare lo avvisò con un telegramma e lui si precipitò a Torino con il primo treno da Crotone.

Mio padre mi ha confessato che nel vedermi scoppiò a piangere per la gioia, la seconda volta nella sua vita, mentre Marisa lo abbracciava e lo baciava, sussurrandogli di smettere, di non fare il bambino, ché il piccolo si spaventa e gli resta per sempre nell'inconscio l'immagine del padre piagnone, ti prego, smettila, e lo baciava sulla bocca e sugli occhi bagnati, lo stringeva al seno gonfio di latte, che io ciucciavo con voluttà.

D'amore e d'accordo, mi misero due nomi: Arturo, come il nonno paterno, e Cesare, come quello materno. E mi chiamarono Rino, con il diminutivo di entrambi, per non scontentare nessuno.

I litigi cominciarono quando il mio fiero papà realizzò che Marisa non aveva nessuna intenzione di trasferirsi con il neonato a Spillace.

«Ma vuoi scherzare?» urlava lui. «Ho ristrutturato la casa, è l'unica in paese, assieme a quella di don Lico e del medico condotto, che ha il bagno e l'acqua corrente. C'è la luce elettrica in ogni stanza e spazio a volontà. Non mi puoi dire che non è a misura di bambino. Io e mia sorella siamo cresciuti sani e forti senza nessuna comodità!»

Lei urlava più forte: «Non urlare, chi ti credi di essere, con me più gridi e meno ottieni». E gli snocciolava i motivi per cui non intendeva trasferirsi a breve: il viaggio troppo lungo, l'assenza di un ospedale in caso di necessità, la malaria non ancora del tutto debellata, il caldo africano, il freddo polare, insomma il clima estremo che avrebbe nociuto a un bimbo appena nato. «Per qualche anno, lasciamolo crescere in pace qui a Torino, poi te lo porto il tuo piccolo principe per fartelo mostrare a tutto il paese.»

L'ultima frase voleva essere conciliante, ma Michelangelo la sentì penetrare nella carne come una coltellata sarcastica. «Sei una vera stronza» le disse con rabbia, mentre gli occhi parevano schizzargli fuori dalle orbite.

«E tu sei un vero gentiluomo che sa parlare a una signora» replicò lei secca e, lasciatolo in salotto a martoriarsi, si fiondò nella stanza da letto per acquietare al seno il piccolo principe che urlava come il padre.

Lo scontro tra caparbi cronici fu vinto da Marisa, che in quel periodo aveva il coltello dalla parte del manico.

A ogni vacanza scolastica, lui piombava a Torino con uno scatolone pieno di leccornie per lei, omaggi della suocera: salsicce, soppressate, il pezzo più saporito del prosciutto, i fichi infornati, i barattoli di sardella, il miele della collina. Il tutto accompagnato da un messaggio premuroso: «Fanno latte, mi ha raccomandato di dirti la mamma. E un bacio al piccolo Rino».

Marisa ringraziava il marito con un bacio vero e lo trascinava sul letto, accanto alla mia culla. «Come mi sei mancato, amore mio» gli diceva. Poi, con un abbraccio e un altro bacio, riusciva a strappargli dal viso la maschera di orgoglio rancoroso e a farlo sorridere.

Quando mi portarono a Spillace avevo quasi due anni e mezzo e non conoscevo nessuno. In seguito mio padre mi avrebbe raccontato che, sceso dal postale che ormai arrivava in piazza, feci di corsa tutta la discesa fino al vicolo di casa e, senza esitare, saltai tra le braccia prima della nonna e poi della bisnonna, scegliendole tra una decina di donne che mi aspettavano curiose.

«Rinuccio ha sentito la voce del sangue» disse con enfasi mio padre. E mia madre smitizzò subito l'accaduto: «È stato solo un caso. Non montarti la testa».

Da allora crebbi con tre mamme: la nonna Lina la chiamai Mammalì, la bisnonna Sofia Mammasofì e la mia vera madre semplicemente Marisa, convinto che il "Ma" iniziale del suo nome significasse mamma.

In quel clima ovattato, tra sei mani che mi imboccavano di continuo, tra baci, coccole e abbracci, era difficile non crescere cicciottelli e viziati. Insomma, la stessa pacchia talvolta soffocante di Torino.

Fuori di casa, invece, potevo giocare con bande di bambini scalzi e spericolati, l'unico con le scarpine lucide, in pratica un piccolo marziano agli occhi degli altri. Grazie a loro, conquistai di giorno in giorno la sconfinata libertà di rincorrere le galline, i gatti e i cani lungo i vicoli dal selciato ciottoloso. E quando rincasavo, sudato e affamato, Mammalì mi gratificava con una frase suadente che ho ancora nelle orecchie: «Bello che non ne fanno più le mamme e se ne fanno come te non sono».

32

Il ricordo più limpido della mia infanzia è una Pasquetta sulla collina del Rossarco. Avevo quattro o cinque anni, mio padre mi aveva preparato l'altalena legando una solida corda di mulo a un ramo dell'ulivo gigante. Marisa mi spingeva alle spalle, spinte sempre più forti, io fingevo di avere paura, invece provavo una felicità perfetta, la toccavo con mano, sempre più in alto, oltrepassavo la cima dell'ulivo, ero in cielo, sopra l'immensa distesa azzurra del mare, pronto a tuffarmi e a risalire sulle nuvole.

Da quell'anno la collina rossa fu per me il luogo gioioso delle Pasquette o dei Pascòni, come si dice a Spillace, trascorsi con mio padre, le mamme vecchie, i parenti e tanti bambini, a sgranocchiare la cuzzupa con l'uovo al centro, che Mammalì colorava di rosso utilizzando le radici di robbia raccolte nel bosco di Tripepi, a giocare e a volare con l'altalena.

Mancava solo Marisa durante quei Pascòni. Le prime volte non riuscivo a rassegnarmi, la cercavo senza mai smettere di volare, ma non la vedevo da nessuna parte. Poi mi abituai alle sue assenze come a un evento naturale: mi ero accorto che lei spariva quando comparivano i fiori sugli alberi e nell'erba.

Sì, faceva all'incontrario delle rondini, Marisa, partiva dal paese all'inizio della primavera e ritornava a casa alla fine dell'autunno. Aveva ripreso il suo lavoro di archeologa a tempo pieno, dopo che io avevo cominciato a frequentare la scuola elementare. «Tanto hai due brave mamme al posto mio, una zia inglese che viene a trovarti in estate e un papà che ti sta sempre vicino» mi diceva a ogni partenza con un pizzico d'ironia, più per sdrammatizzare che per giustificarsi.

Mio padre visse le assenze di Marisa con un vittimismo venato ora di rabbia ora di rassegnazione, spesso era nervoso, immerso in pensieri cupi, a volte gli sfuggiva una raffica di «stronza, menefreghista, egoista».

La domenica andava a scaricare la tensione in battute di caccia solitarie nel bosco di Tripepi e lungo il versante sulla fiumara. Ritornava con una ghirlanda di piume di uccelli legati alla cintura. Era più cupo di prima, quasi si fosse pentito della carneficina. Ma guai se Mammalì e Mammasofì si permettevano di criticare la moglie, allora prendeva le sue difese a spada tratta: «Cosa pretendete, che Marisa marcisca in questo buco? Lei è laureata, ha una professione che l'appassiona, non parte per divertirsi, parte per lavorare».

E loro: «Una muglièra deve stare accanto all'omo suo e al figlio che è accussì piccolo, la gioia nostra, e tiene ancora bisogno di chilla là, Rinuccio bello».

«È meglio se Rino non sta attaccato alla gonna della madre, così non cresce troppo mammarùlo» concludeva mio padre alzando la mano a mo' di paletta, per stoppare in tempo la reazione delle due donne.

Dopo qualche minuto di silenzio, si rivolgeva a me: «Rinù, lavati le mani ché si mangia».

Io gli ubbidivo, correvo affamato in cucina e, al centro della tavola imbandita, non di rado trovavo una montagnola di uccellini arrostiti. Gli adulti li mangiavano con voluttà: ne afferravano uno dal cosciotto e in tre bocconi lo divoravano come avevo visto fare ai gatti e ai cani, triturando in un baleno carne e ossa senza problemi. «Sono teneri teneri, prova anche tu» mi dicevano a turno. Io li spolpavo con cura, sputando sul piatto tutti gli ossicini e qualche pallino di piombo che sentivo stridere fra i denti.

«Non buttare la parte più nutriente» mi consigliava mio padre. «Dài una morsicata alla testa e succhiane il cervello. Non ti schifare, forza, è saporito.»

Per dimostrargli il mio coraggio, avrei addentato pure un topo. Gli sorridevo, chiudevo gli occhi e, per compiacerlo fino in fondo, commentavo: «Una cosa fina, hai ragione, pa'».

Dopo cena uscivo nel vicolo a giocare ancora un po' con i miei compagni. Lui andava in piazza armato di apparente tranquillità e indifferenza. Era l'unico modo per arginare i pettegolezzi del paese, che addirittura vedeva in quelle assenze della Torinèsia i primi passi verso la separazione definitiva della coppia, il segnale esplicito del disaccordo coniugale in ogni campo. «Ciotìe» diceva mio padre. Cattiverie gratuite, che non stavano né in cielo né in terra.

Nessuno era in grado di capire, a quei tempi, il comportamento di una donna così moderna e autonoma. Ma nessuno aveva il coraggio di criticarla apertamente. Anzi, quando Marisa ritornava a Spillace veniva salutata da tutti con simpatia e cordialità, magari un po' troppo sfacciate per essere sincere: «Bonavenuta, donna Marisa. Voi portate sempre la gioia e la bellezza al paese nostro». E le mie due mamme smettevano immediatamente di chiamarla con disprezzo «chilla là» e la incensavano con un affettuoso «Marisella nostra», meno male che era ritornata al nido caldo, dicevano, dove l'aspettavano a braccia aperte, soprattutto il piccolo Rino. Poi, mostrandosi affabili come le altre donne del vicinato, le chiedevano dove fosse andata a scavare stavolta, cosa avesse scoperto. E lei che, a differenza di mio padre, era incapace di captare le lusinghe più false e l'invidia più subdola nei suoi confronti, descriveva con pazienza e dovizia di dettagli i luoghi e le scoperte che alle altre donne non interessavano affatto e, in fondo, non potevano capire.

Gli unici veramente felici del suo ritorno eravamo mio padre e io, che appena vedevamo il suo sorriso fresco scendere in piazza dal postale delle quindici seppellivamo in un attimo le critiche, il malessere e la malinconia dell'assenza.

«Bentornata, amore» le diceva mio padre porgendole un mazzo di rose ottobrine della collina. E io, senza spiccicare parola, mi aggrappavo con delicatezza alla mia rondine stanca e accaldata per il lungo viaggio di ritorno.

Mi bastavano un giorno e una notte per riabituarmi alla sua presenza. La terza mamma era la più affettuosa, mi coccolava il triplo, mi proteggeva dall'amore soffocante e dai cibi micidiali delle altre due, recuperava il tempo perduto tra noi.

«Basta con la barbarie degli uccellini arrostiti» rimproverava il marito. Che rispondeva sardonico: «Ma quale barbarie, sono una squisitezza, provare per credere».

Mio padre era un cacciatore incallito come il nonno Arturo, il bisnonno Alberto e tutti i maschi della razza nostra. Invece io, dietro sua insistenza, avevo sparato una sola volta in vita mia, a una ghiandaia appollaiata sul ramo di un fico, slogandomi la spalla a causa del rinculo troppo forte del fucile. Per fortuna il bersaglio era volato lontano senza danni.

«Non è cosa tua» aveva sentenziato mio padre. «E non dire a tua madre che ti ho fatto provare, capito?»

Malgrado i rimproveri di Marisa, lui continuava a cacciare per tutta la stagione. Solo che non portava a casa né uccellini né fagiani né volpi né lepri. Li regalava ai suoi compagni cacciatori o ai parenti.

Per farsi perdonare dalla mamma, qualche domenica rinunciava alla caccia per partecipare alle gite che lei organizzava seguendo le orme di Paolo Orsi: «Viviamo in una regione piena di luoghi magici, sarebbe un peccato non visitarli».

Grazie a quelle gite, ancora oggi ricordo con emozione lo sperone di tufo su cui è abbarbicata Santa Severina, con il battistero, la cattedrale e il castello maestosi; il leopardo dal pelo maculato e i tre serpenti dalla testa scura, minacciosa, che si dimenano sul pavimento della chiesa di Sant'Adriano a San Demetrio Corone; la Cattolica di Stilo, una straordinaria chiesetta bizantina che avevo ammirato a lungo e a bocca aperta, provando una strana sensazione di immensità, come se mi trovassi dentro il cielo, mentre i miei genitori si affannavano a decifrare certi segni incisi sul fusto di una delle colonne.

«Sì, sono luoghi magici, bellissimi» riconosceva mio padre. Non era semplice per lui e il suo orgoglio caparbio dare ragione alla mamma. Comunque ci provava. E a Natale raggiungeva l'acme dell'accondiscendenza per amore o per amor di quiete: ci accompagnava in treno dai nonni a Torino.

Io ero contento di cambiare aria per due settimane: a parte il clima natalizio che si respirava in ogni angolo, mi piaceva Torino con le sue strade larghe e i palazzi antichi, i negozi scintillanti, i bei caffè dove i nonni mi portavano a mangiare dolci squisiti. In fondo era la mia città natale e mi sentivo a casa.

Mio padre esibiva una gentilezza doverosa, ma in faccia gli si leggeva l'estraneità a quell'ambiente, benché si sforzasse di nasconderla dietro le premure e i sorrisi di circostanza nei confronti dei suoceri.

Marisa abbozzava. Poi, durante il viaggio di ritorno a Spillace, gli diceva: «Non capisco perché ti ostini ad accompagnarci, se devi fare per tutto il tempo quella faccia da insoddisfatto. Il prossimo anno resta a casa con la tua mammina e la tua nonnina, e pure con il fantasma di tuo padre, è meglio per tutti».

«Lo farò» rispondeva lui, «te lo prometto.» Però il Natale successivo dimenticava volutamente la promessa e partiva con noi.

Nel corso degli anni Marisa partecipò a importanti campagne di scavi in Grecia, Turchia, Spagna, Francia e in quasi tutte le regioni del Sud Italia. Durante i mesi estivi, quando lavorava in un sito archeologico della Calabria, mi portava con sé.

Eravamo quasi sempre a due passi dal mare: di giorno mi affidava a qualche famiglia del posto con bambini della mia età, assieme ai quali potevo giocare sulla spiaggia o fare il bagno; di sera cenavamo in allegria con gli altri "scavatori", come li chiamavo io, e poi mi ritiravo con lei nella sua tenda.

Prima di addormentarci mi narrava storie mitiche e avventurose. Lo faceva al buio, «così riesci meglio a immaginare i fatti» mi diceva. La sua voce cambiava timbro, le parole divenivano calde, ariose, colorate, le storie squarciavano il buio e il silenzio assoluto per conficcarsi nelle mie orecchie attente. E io mi commuovevo nel sentire che il vecchio cane Argo, dopo aver riconosciuto il suo padrone Ulisse, si abbandonava al sonno eterno o che Enea si era caricato sulle spalle il padre moribondo, chilometri e chilometri di viaggio, per non lasciarlo morire da solo nella sua terra bruciata dai nemici.

Io, da grande, mi sarei comportato allo stesso modo di Enea, avrei salvato mio padre dai nemici e dalle fiamme, lo avrei portato sulle spalle in capo al mondo. Questo pensavo mentre Marisa raccontava. Mi sentivo forte e buono come Enea, sperto e furbo come Ulisse, avrei viaggiato anch'io per tutta la giovinezza e poi avrei fondato una città per viverci con i miei genitori, le mie vecchie mamme, i nonni torinesi, zio David e Ninabella, promettevo a Marisa convinto.

Lei mi chiedeva: «E come la chiamerai la tua città?», dandomi il bacio della buonanotte. Chiudevo gli occhi e le rispondevo con il primo nome che mi veniva in mente: «Krimisa Torinese».

Una lama di luce fioca penetrava nella tenda attraverso la porta smossa dal vento. Lei mi teneva abbracciato e, stanca per aver lavorato tutta la giornata, si addormentava prima di me.

Una mattina mi avvicinai a Marisa che scavava sotto il sole. Non lo facevo quasi mai, e non perché lei me lo proibisse. Mi annoiavo a vederla scavare, non succedeva nulla, non sbucava fuori nessun tesoro, solo qualche pietra squadrata, per me insignificante. Marisa sudava sotto il cappello di paglia che la proteggeva dal sole. Le chiesi: «Perché scavi sempre? Cosa cerchi, ma'?».

Era la prima volta che la chiamavo mamma. Lei si passò un braccio sulla fronte per asciugarsi il sudore e mi disse: «Cerco nuove storie per raccontarle a te».

La risposta mi piacque, mi pareva una motivazione convincente. Le dissi con il tono del maestro che vuole gratificare un'allieva preparata: «Bene, continua così».

Lei era inginocchiata. «La prossima primavera iniziamo finalmente la campagna di scavi sulla nostra collina. Se vuoi, potrai aiutarmi anche tu» mi comunicò riprendendo a scavare.

La salutai con un bacio di riconoscenza sulla fronte, ricevendo in cambio il bel sorriso fresco che aveva colpito il cuore di mio padre.

33

Una città è come una persona, nasce cresce muore, a volte sparisce lasciando labili tracce che solo un occhio attento può scoprire. Una città ha un'anima. Quella non scompare mai. È dentro ogni spicchio di terra, è tra l'erba, nell'aria. Ha voce di vento, diceva mia madre, un odore tutto suo. Non sappiamo di preciso dove si trova Krimisa, ma la sua anima aleggia in questa collina. Paolo Orsi lo aveva intuito per primo, senza peraltro riuscire a dimostrarlo. Forse Krimisa fu distrutta da Annibale durante la seconda guerra punica, subendo la stessa sorte di Petelia, distante pochi chilometri, che non aveva voluto tradire l'alleanza con Roma. O, più probabile, venne rasa al suolo da un terremoto – non dimentichiamo che questa è zona sismica –, lo stesso terremoto di forte intensità che, secondo Orsi, aveva abbattuto in maniera radicale il tempio di Apollo Aleo e gli alloggi circostanti. In entrambi i casi, gli abitanti soffrirono le pene dell'inferno. Questo è certo. Il loro dolore, il loro sangue avrebbero impregnato questa terra per l'eternità. I sopravvissuti si erano prodigati a mantenere vivo il ricordo di Krimisa, fino a quando la malaria perniciosa li fece scappare sulle montagne e una frana dalle dimensioni colossali seppellì ogni cosa.

Eccetto Ninabella, c'era tutta la famiglia Arcuri attorno al vecchio Umberto Zanotti-Bianco e alla mamma che avevano discusso di Krimisa. Ognuno di noi cercava conferme negli occhi degli altri, in una catena di sguardi che abbracciava l'intera collina del Rossarco.

Il senatore annunciò che aveva trovato i finanziamenti per la nuova campagna di scavi. «Sono passati troppi anni, lo so. Ma sono tempi difficili, questi, si investe più per i beni effimeri che per la Cultura con la C maiuscola. È stata una battaglia continua, credetemi. Però l'importante è che ora si faccia un lavoro serio, definitivo. Naturalmente la direttrice degli scavi sarà Marisa. Non per l'affetto che mi lega a lei, né per il fatto che i terreni appartengono al marito, ma per meriti conquistati sul campo.»

La mamma era commossa, mio padre orgoglioso, e io, per solidarietà a entrambi, ero commosso e orgoglioso. Mammalì, ancora scottata dall'esperienza con l'*arcologo* Paolo Orsi che scava scava aveva trovato soprattutto due micidianti scheletriti, non sapeva cosa pensare e reagiva con indifferenza. L'unica visibilmente scontenta degli scavi e dell'investitura era Mammasofì. «Lassatela in pace, la collina. Più la scavate, più illa soffre» disse con voce squillante e rabbiosa.

Fui io che cominciai a ridere, per quell'idea bizzarra che una terra potesse soffrire come un cristiano. Mammasofì è diventata paccia, pensai di sicuro. Gli altri si unirono a me in una risata collettiva, il modo più simpatico per soffocare sul nascere una protesta che non prendevano sul serio.

«Quando si comincia?» chiese mio padre.

«Se tutto va bene fra una decina di giorni, appena arrivano i miei collaboratori dalla Sicilia. Il resto della squadra viene da Cosenza e Reggio» rispose la mamma e dopo si rivolse premurosa al vecchio Umberto: «Ora andiamo a pranzare, stasera ti riaccompagniamo alla stazione di Cirò e potrai ripartire per Roma. Da qualche mese abbiamo una strada asfaltata che collega Spillace alla Marina. Stiamo progredendo anche qui».

A mio padre piacque quell'accenno al progresso e, siccome davanti ai forestieri parlava sempre bene di Spillace e della sua gente, durante il viaggio in macchina mostrò la campagna che era appartenuta all'ex latifondista don Lico e che ora i contadini avevano trasformato, piantandovi nuovi alberi da frutta, ulivi, frumenti selezionati e tenendola in ordine come un salotto; erano le quote di terra ottenute con la riforma agraria, che però risultavano troppo piccole per il benessere familiare e infatti, a pochi anni dall'assegnazione, i giovani erano stati costretti a emigrare in Francia, Germania e Altitalia. «Grandi lavoratori, i giovani di qua» concluse mio padre, «così abituati ai sacrifici e alla fatica che non a caso stanno facendo furore lassù, in un mondo sano, dove il lavoro viene apprezzato e retribuito come si deve.»

Entrammo in paese. Sembrava un immenso cantiere. S'intravedevano squadre di operai alle prese con la sistemazione delle strade comunali devastate da un'alluvione, e piccole imprese con capomastro e tre o quattro manovali che costruivano o ristrutturavano le case degli emigranti. C'era un attivismo caotico, vitale, che quando scendemmo dalla macchina fu accentuato da una marea nera di rondini: sembravano pazze di felicità, garrivano e volavano basse, facendo a gara di baraonda con i bambini vocianti che si rincorrevano per la piazza.

Mio padre mostrò il nuovo municipio ricavato da un'ala del palazzo che don Lico era stato costretto a cedere al comune di Spillace: per decenni non aveva versato una lira di imposte comunali e ora doveva pagare quarantadue milioni, in parte svincolati dai cento milioni che gli spettavano come indennità di esproprio dei terreni, in parte compensati dalla cessione dell'immobile. «E abbiamo pure un cinema, e tanti televisori, le vedete quelle antenne? Abbiamo la luce elettrica, l'acqua e il bagno in ogni casa. E dieci classi affollate, questi bambini che giocano vengono a scuola da noi e dopo le elementari andranno a

Strongoli per le medie e poi a Crotone per le superiori» concluse mio padre con orgoglio.

Umberto Zanotti-Bianco sorrise: «Lo vedo, lo vedo: in questi anni il paese si è trasformato». Aveva gli occhi di un azzurro che stregava. Lo fissai e lui ricambiò con uno sguardo che in un istante divenne malinconico. O davvero lungimirante, come mi avrebbe detto la mamma molti anni dopo rievocando la scena: Umberto stava vedendo quelle stesse case nuove nel futuro, ne avvertiva la muffa dell'abbandono, con i ferri dei pilastri arrugginiti, protesi inutilmente ad afferrare il cielo quasi vuoto di rondini; e tutti quei bambini, compreso me, tutta quell'energia vitale, dispersi chissà dove.

Un pomeriggio, prima dell'inizio degli scavi, a casa nostra bussarono due uomini. Mammalì li fece entrare senza chiedere chi fossero, del resto avevano domandato cortesi: «Abita qui il maestro Michelangelo Arcuri?». Ed erano ben vestiti, e pure incravattati. Parevano bravi cristiani.

Mammalì li accompagnò in salotto, dove mio padre stava correggendo i temi dei suoi alunni e mia madre ordinava una serie di fotocopie con gli appunti di Paolo Orsi sugli scavi del Rossarco. Io ero seduto a un angolo del tavolo, costretto a finire i compiti se volevo uscire a giocare.

I forestieri si presentarono stringendo le mani a tutti, anche a me. Parlò il più anziano: «Siamo qui per darvi una bella notizia: sulla parte bassa della vostra collina sorgerà un villaggio turistico attrezzato di campo da tennis, piscina e discoteca».

«Cosa?» rispose mio padre con il tono dubbioso di chi non ha capito bene.

«Non vi allarmate, signor Arcuri. È una cosa seria, ora vi mostro il progetto» intervenne l'altro forestiero e srotolò sul tavolo un lungo foglio, posandovi ai lati i miei quaderni a mo' di fermagli. «Come vedete, sarà un'opera imponente. Il posto è molto bello, il mare è a due passi, i nostri turisti lo raggiungeranno con una strada che passerà sotto la linea ferroviaria e la statale 106.»

Mia madre non credeva alle sue orecchie, li fissava allibita.

«Il terreno che confina con il vostro lo abbiamo già acquistato senza problemi, badate bene: non come terreno agricolo, bensì come terreno edificabile. Insomma, un affare per i proprietari, i figli di don Lico che voi conoscete bene. Vogliamo fare la stessa proposta a voi.»

Sul foglio erano disegnate decine di casette a due piani, qualche alberello sparso qua e là, parcheggi, tre campi da tennis delimitati da scarabocchi di siepi, una piscina azzurra dalla forma di un otto allungato. Mi sembrava un paese in miniatura, pulito e ordinato, a me piaceva. Mio padre invece non lo degnò di uno sguardo. Disse con un tono gentile: «Vi ringrazio della proposta, ma il Rossarco non è in vendita: l'ho promesso a mio padre. Lui, per non perderlo, ha subìto il confino».

I forestieri fecero una smorfia di sorpresa: «Lo sappiamo, ma noi non siamo don Lico, noi non ve lo vogliamo rubare. Forse non siamo stati chiari: per voi è un affare da milioni di lire, sulla parte che ci interessa ci sono sì e no una ventina di alberi e un pezzetto di vigna spelacchiata. Non è terra buona per l'agricoltura, quella, voi lo sapete».

«Il vostro discorso non fa una grinza, ma a noi non interessa. Mio marito vi ha detto chiaro e tondo che non vuole vendere» intervenne per la prima volta la mamma con un tono più aggressivo.

«Sentite, dottoressa, pensateci bene. Se con i vostri scavi troverete qualche resto di anticume, allora la collina dovrete cederla allo Stato per quattro soldi...»

Mio padre trasalì. «Come fate a sapere degli scavi?» chiese curioso.

«Noi sappiamo questo e altro. Vi chiediamo di venderci solo la fetta meno fertile del Rossarco, praticamente la metà del Piloru, a un prezzo per voi vantaggioso. Senza contare che grazie al nostro villaggio turistico, si valorizza il resto della proprietà» rispose il più anziano cominciando a perdere la pazienza.

«Ma quell'area non è edificabile, non potreste costruirci un bel nulla.» Ora anche mio padre si stava innervosendo.

«Se non lo è, lo diventa a breve. Non sarà questo dettaglio a fermarci!» sbottò con sicurezza il più giovane.

Mammalì, che fino a quel momento era rimasta in disparte ad ascoltare, prima chiese ai due uomini cosa volessero da bere e appena quelli la liquidarono con un «niente, signora», ansiosi di riprendere la discussione, quasi li spinse fuori di casa, accompagnandoli con dei sorrisi ovattati e un consiglio tra l'affabile e il minaccioso: «Michelangelo è più capatosta del padre suo, più di una pietra di fiumara. Se ha detto no è no. Voi siete galantòmini, si capisce dalla cera: non insistete, sprecate il vostro tempo. Per non perdere la nostra terra il padre ha fatto quasi cinque anni di confino, il figlio ne farebbe dieci di carcere, ve lo dico io che l'ho sgravato sui fiori di sulla del Rossarco, non so se mi spiego».

Si era spiegata benissimo, l'avevo capita pure io.

Più tardi, per attenuare il malumore collettivo, mio padre suonò la chitarra battente. Io mi ero seduto di fronte a lui e osservavo ipnotizzato le veloci vibrazioni delle cinque corde, la rosetta di carta colorata che decorava il foro di risonanza, le carezze e i colpi delle dita sul piano armonico. Mio padre mi sorrise: «Quando sarai in prima superiore ti insegnerò a suonare. Non è difficile. Per riuscirci ci vuole passione e testa, come in tutte le cose».

Tre giorni dopo, alla chiusura delle scuole, cominciarono gli scavi.

34

All'inizio litigavano su tutto, persino su dove e come scavare. Mia madre diceva: «Fino a prova contraria, sono io l'esperta e la direttrice dei lavori, io che ho ricevuto i finanziamenti e ho un progetto che parte dalle ipotesi di Paolo Orsi». Mio padre urlava: «Se non ti dispiace questa terra è mia, la conosco come le mie tasche, ogni angolo, ogni pietra, ogni storia di quassù, conosco. E, a differenza di te, ho conosciuto pure Paolo Orsi. Mi sono pentito di averti dato il permesso di scavare».

Lei rideva, di stizza, e lui la mandava a quel paese e veniva a cercarmi per calmarsi. Sembravano due bambini capricciosi e pieni di spocchia. Insopportabili. Me ne vergognavo di fronte alle sedici persone che avevano aderito con entusiasmo al Progetto Krimisa, studenti, colleghi, collaboratori di vecchia data della mamma: lavoravano concentrati, a testa bassa, nel raggio di una cinquantina di metri da noi, non potevano non sentire i loro litigi e le offese reciproche.

Che rabbia! Avrei potuto essere al vullo della fiumara o al mare per il primo bagno, era giugno, faceva un bel caldo estivo, da lassù si vedevano gruppi di ragazzi sulla spiaggia di Punta Alice. Purtroppo mio padre aveva insistito che partecipassi alla nuova campagna di scavi: «Vedrai che sarà divertente, oltre che istruttivo. Tua madre ci tiene tanto, anche se orgogliosa com'è non ti chiederebbe mai di darci una mano».

Avevo accettato per dovere filiale. Mi sentivo grande, ero stato promosso in quinta elementare, facevo con tutti il bastian contrario, ma a mio padre non riuscivo a dire di no.

Lui riprese a scavare a pochi passi da me, nello spazio che gli aveva affidato la mamma. «È vero: io sono un Arcuri capatosta, come dice tua nonna, ma quella là è più capatosta di me» disse e fino all'ora di pranzo non parlò più. Era ancora nervoso, sudava.

Nei primi quattro giorni avevamo trovato qualche frammento di anfora, due pezzi di marmo informi, tre di tegole bordate e una freccia triangolare in bronzo. Troppo poco, secondo me e mio padre, che eravamo delusi e annoiati, mentre la mamma non faceva nessun commento, continuava a seguire i lavori con concentrazione, fiduciosa che quei ritrovamenti sparuti e, ai nostri occhi profani, insignificanti, l'avrebbero condotta alla scoperta sensazionale di Krimisa.

Il quinto giorno mio padre disseppellì due ossa mangiucchiate dal tempo. Lo vidi impallidire, chiamò mia madre con apprensione: «Vieni Marisa, vieni a vedere cosa c'è qui».

La mamma comprese subito il motivo del suo pallore e lo tranquillizzò: «Non mi sembrano ossa umane e, come minimo, avranno mille anni di età».

Al posto delle parole che non osava pronunciare, lui emise un sospiro di sollievo. Era l'assurda speranza, mai soffocata del tutto, che suo padre potesse spuntare vivo e vegeto sulla collina, come un fiore di vento.

Di domenica ci riposavamo. Un lunedì, appena scendemmo dalla macchina, fummo colpiti da un'eco di rumori metallici e convulsi. Ci precipitammo sul sito degli scavi e le vedemmo in azione tra la base della collina e la statale 106. Erano quattro ruspe, si muovevano svelte dentro nuvole di polvere, sbancavano il terreno e lo spargevano sul piano o lo caricavano su grossi camion che ripartivano in direzione della strada.

«Ma questi sono pazzi. Stanno facendo uno scempio. Sono proprio stronzi, e criminali, bisognerà fermarli. Io vado dai carabinieri e li denuncio, questi farabutti» urlò la mamma. Raramente l'avevo vista così arrabbiata.

Tutti gli uomini della sua squadra le davano ragione, erano sgomenti e increduli. Mio padre non parlava, pareva impietrito, gli occhi sgranati, come se stesse vedendo un film dell'orrore.

La mamma si mise a correre verso le ruspe: «Fermatevi, non potete scavare, questo è un sito archeologico. Vi denuncio, delinquenti, ignoranti» ripeteva fuori di senno.

Corremmo tutti dietro di lei, anche mio padre. La raggiungemmo davanti alla siepe di ginestre spinose che delimitava il nostro terreno. La mamma riprese a urlare le solite accuse e minacce, ma il rumore delle ruspe soffocava le sue parole, senza contare che i ruspisti fingevano pure di non vederci dietro i rami intricati di spine.

Mio padre si avvicinò alla mamma, le prese le mani tra le sue e disse con calma: «Capisco la tua rabbia, ma purtroppo non possiamo farci niente. Stanno sbancando il loro terreno, se toccano il nostro andiamo subito dai carabinieri. Al momento non ci resta che continuare gli scavi».

La mamma gli voltò le spalle e cominciò a risalire la collina, noi dietro di lei, come tanti soldatini in ritirata.

Quel giorno scavammo in silenzio, lanciando con la coda dell'occhio qualche sguardo velenoso alle ruspe lontane che lavoravano senza mai fermarsi.

La sera rientrammo a casa avviliti. Mammalì e Mammasofì ci aspettavano con le loro specialità, tagliolini al sugo di cinghiale e formaggio pecorino, peperoni fritti con patate, cipolle e melanzane, le uniche cose buone di quella giornata orrenda.

Dopo cena tornarono a trovarci i due forestieri, eleganti come la prima volta e cordiali come dei vecchi amici.

«Siamo venuti per riproporvi l'affare, sicuri che ci avete pensato bene: siete persone studiate e troppo intelligenti, avrete capito che facciamo sul serio.»

«Sul vostro terreno potete costruire ciò che volete» rispose mio padre quieto. E la mamma aggiunse sgarbata: «Sul nostro sappiamo noi cosa fare! E lo stiamo facendo!».

«Signori Arcuri, non giocate al rialzo con noi. Abbiamo investito una barca di soldi in questo progetto. Molte delle casette sono state acquistate sulla carta dai nostri emigrati in Germania. Che gli diamo quando tornano, qualche pezzo di tegola antica? Non potete bloccare un'occasione di lavoro per tanti disoccupati e di sviluppo turistico del nostro territorio a causa dei vostri scavi inutili. Tanto non c'è niente là dentro, credeteci. State sprecando tempo e denaro.»

«E voi non potete venire a casa nostra per farci la predica e la solita proposta oscena. Tanto non cambieremo mai idea.»

«Mai! Che brutta parola, maestro Arcuri. Rifletteteci bene. Noi torneremo a trovarvi.» E se ne andarono salutando cordialmente.

Il giorno successivo eravamo così tranquilli e concentrati sugli scavi che non ci accorgemmo subito degli alberi tagliati di netto. Mio padre li contò: erano diciotto tra fichi rachitici, melograni e ulivi, tra cui cinque secolari, tutti sul versante del Piloru, dove si scavava. Poi, a passi nervosi, perlustrò tutta la collina.

Per fortuna non avevano toccato nessun'altra pianta e pure il vigneto era intatto, ci disse al ritorno.

La mamma lo guardava delusa e amareggiata, come se fosse lui il colpevole indiretto dell'accaduto.

Mio padre capì quello sguardo a modo suo: prese la macchina e andò dai carabinieri della Marina a sporgere denuncia contro ignoti, anche se immaginava chi fossero i mandanti.

Per qualche giorno non sentimmo più il rumore delle ruspe. Una sera, prima di rientrare a casa, ci dirigemmo verso il cantiere silenzioso. Dalla statale si coglieva con un colpo d'occhio l'intero spiazzo di polvere. Il taglio che scendeva a piombo dalla nostra siepe di ginestre spinose era alto almeno tre metri e lungo quanto il versante della collina; con il piano formava un angolo retto. Pareva una ferita fresca, color ruggine.

Fermammo la macchina al centro dello spiazzo e la mamma lo percorse a piedi, osservandone attentamente ogni metro quadrato, infilando la mano nello sterro: «Niente, non c'è traccia di resti antichi. A meno che questi farabutti non li abbiano sepolti o scaricati con i camion chissà in quale burrone».

Dalla mattina seguente mia madre tornò a dirigere gli scavi con un'euforia che mi parve esagerata. Puliva con cura tutti i pezzi di terracotta rinvenuti, le lamine di argento così sottili e malmesse che si sbriciolavano al tatto, le statuette di bronzo decapitate o mutilate. Poggiava il materiale nella casella e scriveva pagine e pagine di appunti su dei quadernoni azzurri.

Io mi annoiavo e sudavo sotto quel sole implacabile, ormai ero più abbronzato dei miei compagni che sguazzavano liberi dalla mattina alla sera nei vulli delle fiumare attorno al paese. Come li invidiavo! Certe volte, pur di aggregarmi a loro e non rompermi l'anima a scavare, m'inventavo terribili mal di pancia o di testa.

Il giorno dopo mio padre mi svegliava all'alba e mi richiamava al dovere: «Devi venire, gioia, ché tua mamma ci tiene». In realtà, era lui a volere che gli tenessi compagnia, perché la mamma lo ignorava, trattandolo al massimo come uno degli studenti imbranati che stavano lì per compiacere i loro professori.

Per ironia della sorte, fu proprio mio padre che portò alla luce i reperti più interessanti della campagna archeologica: una corazza bucata ai due lati, che a prima vista gli era sembrata il coperchio arrugginito di un bidone di nafta, e un altro pezzo di metallo rettangolare lungo una trentina di centimetri. Erano a mezzo metro di profondità, a poca distanza tra loro.

La mamma era accorsa subito. «Queste sono parti di un'armatura, è probabile che ci siano altri pezzi qua in giro» disse cominciando a scavare febbrilmente assieme a noi.

Ero eccitato. E, scavando, pregavo sant'Antonio di farmi trovare una parte preziosa di armatura.

Un'ora dopo mio padre estrasse dal terreno un piccolo arco e tre frecce d'argento. Sant'Antonio non aveva esaudito la mia preghiera ma aveva fatto di più, almeno a sentire la mamma che ripeteva entusiasta: «Straordinario, ci siamo, credo». Poi baciò mio padre sulla fronte, gli disse: «Oggi la fortuna ti assiste» e andò a chiudersi nella casella con i reperti, per pulirli e coccolarli come delle creature vive.

Purtroppo, entro la fine degli scavi, non trovammo i pezzi mancanti dell'armatura né nuovi reperti di rilievo. «Forse sono stati fatti sparire in altri tempi» disse la mamma, che però si ritenne soddisfatta del risultato: «La corazza anatomica di bronzo, finemente lavorata, e il piccolo arco d'argento con le frecce, valgono da soli tutta la campagna di scavi. Di sicuro appartenevano al corredo funerario di un personaggio di spicco dell'antica Krimisa».

«Potrebbe essere Filottete in persona?» chiesi ingenuamente e speranzoso.

«Credo di no, anche se è un'ipotesi affascinante. Però su una cosa non ho più dubbi: in questa collina palpita l'anima misteriosa di Krimisa.»

35

Fino alla primavera successiva non ebbi modo di andare sul Rossarco. Quando vi tornai per il Pascòne, mi accorsi che sul versante degli scavi mio padre aveva piantato degli alberelli di noce, pero, fico, pesconoce, ciliegio, gelso, tanti melograni, più alcuni filari di "coglioni di gallo", realizzando così la volontà del nonno Alberto e dei suoi vecchi compagni.

Sullo spiazzo al di là della siepe di ginestre spinose, gialle di fioritura, era spuntato il primo blocco di casette grezze del villaggio turistico, però non s'intravedevano altri cantieri né anime vive, solo qualche nuvoletta di polvere color ruggine, gonfia di vento.

Ripensai all'estate degli scavi, misi da parte le arrabbiature e la noia, e rivissi i momenti esaltanti delle scoperte. L'immagine del sorriso fresco della mamma mi illuminò la mente e ne ebbi nostalgia. Pochi giorni prima mi aveva mandato una cartolina dall'isola di Cipro con gli auguri di Buona Pasqua; avevo ricambiato con una dichiarazione di amore, scritta dietro la cartolina che ritraeva Spillace sullo sfondo del mare e della collina rossa. Mi succedeva sempre così, non ero arrabbiato con lei, con le sue assenze. Forse per un meccanismo di autodifesa lasciavo filtrare in me solamente le immagini più belle e me le incorniciavo per non dimenticarle.

Per la festa di sant'Antonio arrivò Ninabella dall'Inghilterra. Fu l'ultima volta che la vedemmo assieme a zio David. Restarono in paese due settimane e non fecero nulla per nascondere che tra loro non c'era più un briciolo di amore, semmai ce ne fosse stato. Solo mio padre e Mammalì si ostinavano a vederli uniti, una famiglia come tante, con i normali problemi di ogni moglie e marito. Con uno o più figli sarebbero stati una coppia perfetta, secondo loro. Non erano giovincelli di primo sbritto, diceva Mammalì, però una femmina fino a quarant'anni poteva figliare una creatura sanizza e salvavita, a sant'Antonio piacendo.

A Ninabella veniva da ridere, ma non diceva nulla. Usciva di casa e andava in giro per il paese o a trovare le sue amiche d'infanzia, mentre zio David si rintanava in cucina o al bar con mio padre, a ingollare quantità esorbitanti di cibo vino birra, per distrarsi e apparire allegro.

Dall'anno successivo, per Ferragosto, Ninabella cominciò a tornare a Spillace da sola, e a chi le chiedeva come mai il marito non fosse venuto con lei, rispondeva candidamente: «Ci siamo lasciati. Mi dispiace per lui e per la mia famiglia, ma non avevamo più niente da dirci».

Intanto gli alberelli del Piloru crescevano di Pascòne in Pascòne e mio padre cominciava a portare a casa i primi frutti. A Mammasofì mi prodigavo a frullarglieli io, usando un ottimo frullatore di marca che ci aveva portato Ninabella da Londra. Nessuno al paese aveva un aggeggio così utile, nemmeno i due bar.

Con l'arrivo del primo caldo Mammasofì si era accasciata sul letto priva di forze, le gambe gonfie dai piedi alle ginocchia, e mangiava qualcosa soltanto se la imboccavamo. Non la ricordavo mai ammalata, anzi era lei ad alleviare i dolori a tutta la famiglia con decotti e intrugli a base di erbe, che raccoglieva nel bosco di Tripepi. Fino a quella primavera camminava senza bisogno di aiuto. Poi il crollo che, malgrado la sua veneranda età di novantacinque anni, aveva sorpreso il paese intero. Io le dicevo: «Mammasofì, resisti che dobbiamo prepararti una torta con cento candeline». E lei, a sospiri rumorosi che parevano gemiti di dolore, rispondeva: «Sto male, gioia mia, ho vissuto troppo assai, mo' non ha più senso resistere al Signore che mi sta chiamando. Mi fa male tutta la vita, dai piedi alla capa».

Non voleva più vivere, lo capivo pure io. Infatti la notte della vigilia di sant'Antonio, quasi avesse aspettato l'arrivo di Ninabella da Londra, morì nel sonno come suo marito Alberto.

La sera precedente, prima di ricevere l'estrema unzione dal prete, aveva chiesto di parlare da sola con i due nipoti. Erano usciti dalla camera dopo un'ora o più. Mio padre era pallido e turbato, Ninabella silenziosa e cupa. Mammalì fremeva di curiosità: «Cosa vi ha detto di tanto malamente?».

«La sua verità» aveva risposto mio padre. E Ninabella aveva aggiunto con le lacrime agli occhi: «In più ci ha detto una cosa che vale anche per te: non cercate più mio figlio Arturino, non fatevi il sangue acidòso. Lui vive in un posto più bello della nostra collina. Lui è lì dove adesso andrò io. Vi saremo sempre vicini, gioie. Fino a quando vi ricorderete di noi».

Due settimane dopo il funerale, camminavo sul corso con mio padre e Mammalì che teneva in mano tre mazzi di garofani rossi e sulle labbra la risposta per chi ci chiedeva dove andassimo: «A visitare i sòceri e la mamma mia, al locosanto». Ninabella era ripartita per l'Inghilterra e già mi mancava e mi mancava la mamma e soprattutto mi mancava Mammasofì, che non sarebbe ritornata né a Ferragosto né in autunno né mai più.

Era una mattinata di fine giugno, l'afa ci avvolgeva in un abbraccio caldo e si specchiava sulla strada davanti a noi ondeggiando. Fui io che vidi per primo il batuffolo dimenarsi sull'asfalto. Affrettai il passo e mi parve di camminare al rallentatore, come in un sogno. Era un piccolo uccello bianco che non riusciva a spiccare il volo. Aveva la coda forcuta, il becco a uncino e gli occhi simili a due gocce di pioggia impolverata. Dissi a mio padre: «Non ho mai visto un uccello così, che cos'è?».

Lui, più stupito di me, lo prese con delicatezza tra le mani e rispose: «È una rondine albina. Rarissima, anzi, più unica che rara. È la prima volta in vita mia che ne vedo una. L'hanno buttata giù dal cielo quelle là». E mi indicò un nugolo nero di rondini che volavano furibonde sopra di noi.

«Perché?» gli chiesi.

«Perché è diversa dalle altre, lo vedi com'è bianca?»

«Perché è troppo bella, pare un acello del paradiso, e le altre sono imbidiose. L'imbidia è una brutta malattia, lo diceva sempre Arturo mio» intervenne Mammalì, infilando le dita tra le piume albine. E aggiunse che un acello accussì l'aveva visto il sòcero Alberto, mentre parlava con il professor Paolo Orsi sul Rossarco.

Riprendemmo a camminare nell'afa, l'uno accanto all'altro. La rondine albina mi fissava curiosa con i suoi occhi di pioggia impolverata. Che voleva da me? Non era per nulla spaventata, anzi pareva che ci conoscesse e mostrava uno sguardo fiero da rapace. Le sorrisi e pensai a mia madre, le avrei raccontato quell'insolito incontro: lei che aveva viaggiato in tanti posti del mondo, di sicuro non si era mai imbattuta in una creatura del genere.

«A che pensi?» mi chiese mio padre, vedendomi assorto.

«Alla mamma» risposi sincero.

«Figlicè, tieni ragione. Però non scordarti che pure casa nostra è un nido di rìndini janche. È vero o no?» intervenne Mammalì. E io rimasi sorpreso del paragone, a cui sinceramente non avevo pensato, ma non dissi nulla.

Mio padre, invece, assentì e accarezzò di nuovo la rondine albina come se accarezzasse i nostri cari, il nonno Arturo più di tutti.

Appena vide le mura del cimitero, Mammalì si mise a piangere e intanto rammentava con parole elogiative e affettuose il bravo sòcero Alberto e la meglio delle sòcere della terra, con la quale era andata sempre d'accordo, diceva, mai uno screzio, mai una lite, mai un fatti più in là, o se litigavano durava un secondo, come con il marito Arturo, mai una parola storta, mai una spina che fa sanguinare, diceva, uguale la Torinèsia che una nòra così perbene e rifinita non la trovi nemmanco in cima al paradiso della terra.

Mio padre rise di gusto, e io lo imitai, perché sapevamo entrambi che negli ultimi tempi Mammalì scordava tutto, anche cosa aveva mangiato a pranzo. Infatti, davanti al locosanto, chiese al figlio per l'ennesima volta cosa gli avesse raccontato Mammasofì poco prima di spirare, pace all'anima sua.

Mio padre lanciò senza preavviso la rondine albina il più in alto possibile e insieme ne seguimmo la scia da stella cadente. Poi, aprendo il cancello, ripeté enigmatico: «Mi ha raccontato la sua verità». Non una parola in più.

La rondine albina dispiegò finalmente le ali e dritta come un razzo attraversò lo spicchio di cielo tra il Rossarco e Spillace. Cercava caparbia le sue compagne. Per qualche secondo tornò a sorvolare il camposanto, quasi per un ultimo saluto di gratitudine, infine virò verso l'orizzonte e sparì in una nuvola nera di rondini.

Quei vigliacchi fottuti, diceva mio padre, non rispettarono nemmeno il lutto intenso del primo mese. Lui, in quel periodo, usciva di casa solo per andare a scuola e ogni tanto al cimitero, poi si appartava in salotto a leggere, figuriamoci se si recava sul Rossarco.

L'incendio divampò una domenica sera. Vidi una marea di gente che osservava le fiamme alte dalla piazza e corsi ad avvisare mio padre. «La collina brucia» gli dissi con il fiatone.

Mammalì cominciò a urlare come una paccia: «Ohi, che malanova avimu patùtu, 'sti micidianti, non devono arrivare vivi al Santo Natale, un fulmine li deve abbruciare finché si fanno carbonella». Urlava così forte che in due minuti la casa si riempì di vicine e parenti.

Mio padre era partito in macchina, rifiutandosi di portarmi con sé e, alle mie insistenze, chiudendomi lo sportello in faccia.

Tornai in piazza offeso e vidi la folla che si stava organizzando con automobili, moto e camioncini, per andare a spegnere l'incendio. «Sta bruciando il bosco di ilici» dicevano. «Per fortuna è vento di mare, fresco, non soffia forte, altrimenti addio bella collina del Rossarco.»

Prima di mezzanotte l'avanzata del fuoco fu fermata da una stagliatura orizzontale del bosco, larga minimo due metri, fatta da una marea di volontari armati di asce, zappe, vanghe e buona volontà. Qualche ettaro era andato in fumo, disse mio padre al ritorno, ma il grosso del Tripepi era salvo, e salvi erano pure gli alberi da frutto e le vigne, la casella e il resto della collina nostra.

La mattina dopo, di buon'ora, squillò il telefono. Era un vigliacco anonimo, mi ha raccontato mio padre, che gli chiedeva sarcastico se la lezione del fuoco gli fosse bastata.

Lui lo aveva mandato affanculo riattaccando. Ma già quella stessa sera e i giorni successivi, come se nulla fosse, lo chiamarono a turno i due forestieri che erano stati a casa nostra. Volevano a ogni costo la fetta di collina per costruirvi il loro villaggio.

Mio padre si recò dai carabinieri, raccontò della telefonata anonima e per la prima volta fece i nomi dei due forestieri che secondo lui erano i mandanti dell'incendio.

Due giorni dopo, senza darmi nessuna spiegazione, mi accompagnò dai nonni a Torino per trascorrere con loro il resto dell'estate. E quando riaprirono le scuole non venne a prendermi. Si fece vivo al telefono per comunicarmi che avrei dovuto frequentare il nuovo anno scolastico in una scuola media torinese.

«Ma stai scherzando?» dissi io. «Non mi va, non mi piace qui.»

Lui rispose secco: «Tua madre è d'accordo». E agganciò la cornetta con la forza di uno schiaffo.

Da allora il mio rapporto con mamma e papà, il paese, la collina, non fu più lo stesso. Tra noi si aprì una voragine di buio, che si accendeva solo durante le vacanze estive quando tornavo nella casa di Spillace, o quando la mamma veniva a Torino per Natale.

Soltanto con Mammalì non riuscivo a essere scorbutico o freddo, anzi mi faceva sorridere ogniqualvolta mi telefonava ripetendomi le stesse cose: «Hai mangiato, gioia? La nonna torinèsia non sa cucinare saporitòso come me, vero? Ti raccomando mangia e bevi e pensa a noi, lo prometti a Mammalì tua che ti vuole un bene dell'anima? Ce l'hai una zita bella e sperta? Ti raccomando, può essere pure torinèsia come màmmata, ma deve avere i sentimenti nostri di famiglia, promesso?».

Come potevo avercela con lei? Io le rispondevo: «Sì, sisì» e sorridevo.

Con il tempo mi abituai alla nuova vita di città, e non ricordo di aver sentito la mancanza del paese, del Rossarco, dei miei genitori, semmai nei loro confronti provavo un fastidio astioso: li ritenevo colpevoli di avermi cacciato fuori di casa ingiustamente. Avessi capito subito che, se rimanevo a Spillace, rischiavo di sparire come nonno Arturo, probabilmente avrei accettato il mio allontanamento senza battere ciglio.

Quando seppi che mi avevano mandato a Torino per proteggermi dalle minacce di quei "vigliacchi fottuti", come continuava a chiamarli mio padre, era troppo tardi: il cordone ombelicale con il mondo di prima era stato tagliato per sempre dal tempo e dalla lontananza.

Nel complesso il mio confino dorato durò circa tre anni scolastici; poi "i vigliacchi fottuti" furono arrestati o sparirono dalla circolazione, l'impresa fallì, gli acquirenti degli alloggi sulla carta persero i loro soldi e il villaggio turistico si trasformò in una cicatrice incisa sotto il versante del Piloru. Le casette senza porte e senza finestre vennero occupate in estate da alcune famiglie zingare di passaggio, mentre in anni più recenti vi avrebbero trovato rifugio gruppi di immigrati clandestini.

Un giorno mio padre mi comunicò che potevo tornarmene a vivere di nuovo in paese. «Così ti insegnerò a suonare la chitarra battente» mi disse per rendermi il rientro più allettante. A quel punto, però, visto che a Torino avevo cominciato il liceo scientifico e mi trovavo bene, decisi di fermarmi fino alla maturità, per la gioia dei nonni materni e della mamma. L'astio nei confronti del mio mondo di origine si trasformò in apparente indifferenza e continuai a non sentire alcuna nostalgia del paese, del Rossarco, dei miei genitori e di Mammalì. Il perché l'avrei capito ricostruendo con l'aiuto di mio padre le prime verità di questa storia: non avevo nostalgia di niente perché, senza saperlo, custodivo tutto dentro di me.

Verità

La verità è che i luoghi esigono fedeltà assoluta come degli amanti gelosi: se li abbandoni, prima o poi si fanno vivi per ricattarti con la storia segreta che ti lega a loro; se li tradisci, la liberano nel vento, sicuri che ti raggiungerà ovunque, anche in capo al mondo. Ecco cosa ho capito quando mio padre mi ha ricordato in maniera sbrigativa, alla sua maniera, che la collina del Rossarco reclamava la mia presenza.

Mi stava telefonando dal cellulare che gli avevo regalato in occasione di un suo compleanno. Fino allora mi aveva chiamato una sola volta: «Vieni che tua madre sta morendo!». Così, secco, senza tradire sofferenza. Ero subito partito in macchina, sperando per tutto il lungo viaggio che mio padre avesse esagerato, la mamma era ammalata da diversi anni, ma ultimamente si stava riprendendo. Avevo trovato la casa piena di gente che piangeva e si apriva con rispetto al mio passaggio, lui cupo e terreo che fumava tremando accanto alla finestra aperta, la mamma ancora sul letto, spirata da poche ore.

Stavolta mi ha detto: «Vieni che la nostra collina sta franando». Ho sentito distintamente la pioggia e il vento che gli sferzavano la faccia, e mi sono immaginato il suo sguardo incazzoso e ferito, il cellulare stretto in pugno come un sasso da scagliare contro il cielo. Era sul Rossarco, solo, sotto la pioggia scrosciante. Ha ripetuto: «Vieni subito». Come se mi trovassi a Spillace e non a 1195 chilometri di distanza. Non capivo se fosse un ordine o una richiesta di aiuto. E non sapevo cosa avrei fatto realmente. Però gli ho risposto, a malincuore e senza convinzione: «Parto stasera stessa. Il tempo di preparare la valigia e riposarmi qualche ora».

Prima che la telefonata fosse interrotta bruscamente, ho sentito una scarica di tuoni e di parole simili a un grugnito, che ho dovuto interpretare: «Ti aspetto. A presto. Ciao».

Non avevo nessuna voglia di affrontare quel viaggio inaspettato, forse inutile, e andare a prendermi secchiate di pioggia e fango, mentre su da noi nevicava, il paesaggio sembrava quello immacolato e segreto delle fiabe, e le previsioni del tempo sconsigliavano di mettersi in macchina. Ero appena uscito dalla scuola. Durante il tragitto a piedi verso casa, ho trovato mille scuse per non partire, tra cui una che pure mio padre avrebbe accettato: "Manca meno di un mese al parto, non posso lasciare Simona da sola proprio in questo frangente". Sentivo una sola voce contraria: "Come reagirà mio padre se non vado? Che penseranno al paese di me?".

Quando mi ha visto, Simona ha notato che ero scosso e distrutto. «Che è successo, amore? Che hai? Parla. Stai male?» mi ha chiesto con apprensione.

Le ho riferito della telefonata e lei ha cambiato subito umore, consigliandomi vivamente di non partire: «Se vai, sei pazzo come tuo padre».

Mi ha sorriso, non voleva essere offensiva, era bellissima con il suo pancione pieno di vita, il seno alto e turgido, la pelle liscia delle donne incinte. Lo diceva spesso, scherzando, che mio padre era pazzo da legare. Sapevo che in fondo lo stimava. E se a quel punto avesse smesso di parlare, forse le avrei dato un bacio di riconoscenza. Invece ha aggiunto: «E che vorresti fare laggiù, fermare la frana con la forza del pensiero o delle tue braccia da Ercole?». Un'ironia che da lei non mi sarei mai aspettato, acida e fuori luogo.

Sono andato a preparare la valigia senza ulteriori indugi. Poi l'ho salutata con tutta la freddezza di cui ero capace in quel momento: «Ci vediamo fra qualche giorno, forse. E non farmi il dispetto di partorire prima del previsto».

Poteva capire, lei, quel grido soffocato dalla pioggia e dal vento? Avevo una notte e un lungo viaggio davanti a me per ammansire il furore degli ultimi ricordi; e tu, amore mio incinto e bello, mi hai rotto i coglioni con la tua supponenza.

Per non addormentarmi ho cercato di immaginare il finale di questa storia come un film, con una colonna sonora di chitarra battente che fuoriusciva dagli altoparlanti e di pioggia battente che tamburellava sulla macchina in corsa. E siccome, con tutto il mio ottimismo, ogni scena era disturbata dal pancione di Simona e da un vento ombroso che non lasciava presagire nulla di buono, sono stato tentato tre o quattro volte di tornarmene indietro. "Come reagirà mio padre se non vado? Che penseranno al paese di me?" E ho proseguito.

Quando sono arrivato ai piedi del Rossarco diluviava così forte che ho rinunciato a scendere dalla macchina. Il vento ringhiava furioso, vomitando secchiate d'acqua contro il parabrezza. La cima della collina non riuscivo a vederla, era infilzata nel cielo buio sebbene fosse mezzogiorno; anche il resto del paesaggio aveva i contorni sfumati e sembrava squagliarsi in brandelli liquidi, sbiaditi. La strada che conduceva alla casella era diventata l'alveo di una violenta fiumara di fango, impossibile da percorrere in macchina o a piedi.

Ho provato a chiamare mio padre per dirgli che ero arrivato e che sarei salito non appena il diluvio si fosse placato. Purtroppo, come temevo, il suo cellulare era spento. Allora ho chiuso gli occhi per riposarmi e, malgrado il fragore della pioggia e del vento, mi sono addormentato sul volante.

Mi hanno svegliato dei colpi insistenti al finestrino e la voce di mio padre: «Stai dormendo? O stai male?». Non capivo dove mi trovassi, ho continuato a tenere gli occhi chiusi con forza. «Sveglia che sono le tre del pomeriggio.» Mio padre ha aperto lo sportello e mi ha scrollato le spalle con delicatezza. Pensava davvero che stessi male.

La prima cosa che ho visto riaprendo gli occhi è stato il suo sguardo preoccupato su di me. Poi la nebbia che saliva dal burrone di Timpalea e, spinta dal vento, si sfrangiava in tante nuvolette bianche che s'impigliavano nei rami degli alberi o evaporavano nel cielo.

Non pioveva più.

«Sono arrivato a mezzogiorno ma il temporale era così forte che sono rimasto bloccato quaggiù» ho detto a mio padre dopo averlo salutato con un bacio sulle guance ispide.

«Hai fatto bene. Se provavi a venire su in macchina, la corrente di fango ti avrebbe trascinato fino al mare» ha commentato lui, la faccia cupa. «Ora andiamo con la mia macchina che è fatta per queste strade; la tua lasciala qui.» Poi mi ha chiesto di Simona, se l'avevo chiamata. Gli ho detto di sì, mentendo, e che stava bene.

Sono salito sulla Panda 4x4 e, con la marcia ridotta, a volte slittando pericolosamente, siamo arrivati in cima al Rossarco.

«Avrai fame e freddo» ha detto mio padre facendomi entrare nella casella. Ci siamo seduti davanti alla stufa accesa e a un tavolino apparecchiato per due, segno che mi aspettava per pranzo. «Ti ho preparato pasta e ceci. Spero che ti piaccia ancora.»

Gli ho sorriso. Tenevo una fame da lupo, avrei mangiato pure pane secco. Il vino nuovo aveva un colore rosso granato dai riflessi arancioni e un sapore eccezionale, uno dei migliori Cirò che avessi mai bevuto, gli ho detto a parole e dimostrato con i fatti. Mio padre confermava il mio entusiasmo con la competenza di un sommelier: «Sì, ha un profumo intenso di prugne mature a sottospirito, di cuoio e di liquirizia, tabacco, pepe». E beveva con me. «Irruente e caldo al palato, morbido come la pelle di una donna.» Beveva e parlava. Era contento che fossi tornato, diceva con una faccia che però esprimeva piuttosto preoccupazione, ansia. Tutta l'urgenza che il giorno precedente avevo colto nella sua voce strozzata dal vento e dalla pioggia, ora la ritrovavo nelle parole che gli erompevano dalla bocca, riscaldate dal fuoco e dal vino.

La verità è che mi ha chiamato per parlarmi, ho pensato, la collina non sta crollando, altrimenti non staremmo qui a mangiare e a bere, abbastanza tranquilli.

Lui ha ribadito che il Rossarco stava franando, era una questione di ore o, nella migliore delle ipotesi, di giorni, non aveva dubbi. E, prima che gli ultimi brandelli della nostra storia venissero sepolti nel fango eterno, ha aggiunto, dovevo conoscere i fatti che non aveva mai avuto il coraggio di raccontarmi.

«La prima verità è quella di nonna Sofia» ha detto mio padre. «Immagina il suo sguardo pieno di spine, solo così potrai comprendere l'ostinazione del suo silenzio fino a pochi minuti dalla morte.»

Io ricordavo Mammasofì come un'energica vecchietta, dolce e ironica, aspra di voce soltanto se la provocavano. Con uno sforzo me la sono immaginata giovane, sola sulla collina rossa, i tre figli a divertirsi nel vullo dell'infanzia. I due uomini le arrivano di spalle, sono più giovani del marito, uno è di Spillace, è lui che la saluta con un sorriso traditore sulle labbra: «Buongiorno, donna Sofia».

Lei ricambia il saluto cercando di scacciare il brutto presentimento che l'assale all'improvviso. Cosa vogliono quei due da lei?

«Abbiamo saputo delle monete d'oro che avete trovato scavando questa collina fortunata.»

«Non abbiamo trovato un bel niente, chi dice queste fisserije?»

«Lo dice un maestro di Cirò che ha venduto per conto vostro sedici monete di valore a Roma e con quei soldi avete accattato tutta questa terra buona.»

«Questo maestro sarà un paccio che si è inventato tutto, noi abbiamo sudato sangue per accattare il resto della collina.»

I due uomini ridono di gusto. «Le minzògne non le sapete contare. Siete diventata rossa come questi fiori di sulla» dice il paesano.

«Io non sono minzognàra e non ho niente da dire a due sfaticatori come voi.»

«E niente dovete dire, donna Sofì: voi ci dovete mostrare solamente dove nascondete le monete. Noi ci pigliamo la parte nostra e poi vi lasciamo in pace, accattiamo il pezzettino e ce ne andiamo per sempre nella Merica» dice il paesano sorridendo. E l'altro: «Altrimenti aspettiamo il marito tuo all'uscita dalla miniera e, se manco lui parla, ti giuro che non torna a casa vostra con tutte le ossa apposto».

«Basta mo', ve ne dovete andare, se lo sa marìtma che siete venuti fin qua a importunarmi, quello vi scanna vivi.»

Di nuovo gli uomini ridono, si guardano in giro per sicurezza, vedono solo le loro ombre oscillanti sull'erba e la collina muta.

«Compà, non mi avevi detto che la paesana tua è pure un pezzo di pelo fresco. Tiene le minne gonfie come meloni, una bella leccata la farebbe ragionare meglio, non pensi?» dice il forestiero e allunga la mano per afferrarle il seno.

Mammasofì gli molla il panaro pieno di ciliegie sul braccio e all'inizio quello è sorpreso, ha due ciliegie impigliate tra i capelli, per un attimo se ne sta quieto a fissarla con la sua faccia ridicola, poi urla: «Brutta zoccola, mo' ti sistemo io» e si butta su di lei, scaraventandola a terra. L'altro l'aiuta, provano a spogliarla, Mammasofì si dimena, graffia, morde e picchia come può, «brutta bagascia, fermati, fe', che ti piacerà», ma il forestiero fa appena in tempo a sbottonarsi i pantaloni che un urlo spaventoso alle sue spalle lo blocca sul più bello: «Bastardi, lasciatela stare».

Si girano di scatto e sulla soglia della casella vedono un uomo con il fucile puntato contro di loro. È Alberto Arcuri. Non capiscono, sono storditi. Non doveva essere a casa a dormire, quello là? Non aveva faticato in miniera tutta la notte?

Mammasofì approfitta del loro stordimento e corre verso il marito. I due restano a terra, strisciano per qualche metro come serpenti, non sanno cosa dire, cosa fare, negli occhi hanno il terrore della morte. Poi si alzano di botto e scappano, cercano di dileguarsi fra i ciliegi e il bosco di Tripepi; Alberto è pieno di rabbia, troppa, non ragiona, spara, forse se non avessero provato quella fuga inconcludente da vigliacchi si sarebbero salvati, Alberto spara di nuovo e più spara più la rabbia cresce, «bastardi» continua a gridare, il compaesano cade con la faccia sull'erba. Alberto ricarica la doppietta in un lampo, altri due spari e il forestiero si inginocchia, urla come una bestia ferita, si lamenta per il dolore e la paura di morire dissanguato, ancora due colpi di grazia per farlo tacere e gli esce un ultimo rantolo, una bava di rabbia e di sangue, stramazza sull'erba, la imbratta di rosso, gli occhi spalancati per sempre all'incredulità, al nulla eterno.

Alla fine del racconto, Mammasofì pianse ridendo o rise piangendo, si era liberata finalmente di quel segreto che l'aveva oppressa tutta la vita assieme al marito. Ora anche lei poteva morire in pace.

Mio padre ha bevuto mezzo bicchiere di vino in una sorsata, si è morsicato per un po' le labbra umide e mi ha detto: «Non li condannare. Hanno sofferto tutta la vita per quel sangue sulla collina, pagando con coltellate di rimorso, nonno Alberto più della moglie, anche se si ripetevano che i due delinquenti se l'erano cercata quella morte ciòta. Per Mammasofì la pena più grande è stata quella di sopravvivere ai tre figli, svaniti nel buio della storia, senza una tomba dove portare un fiore».

Ci siamo guardati per la prima volta con gli occhi sgombri di paure e ipocrisie. È giunto il tempo di mantenere la promessa che mi hai estorto, avrei voluto dirgli. E lui, anticipandomi: «La verità fa male ma non va sottaciuta, altrimenti il male si acutizza, diventa insopportabile. Ricordatelo quando racconterai la nostra storia». Poi mi ha invitato a seguirlo fuori: «Vieni, che ti devo mostrare per quali motivi ti ho chiamato con urgenza».

Siamo arrivati a una dozzina di metri dall'ulivo gigante che ancora gocciolava.

«Guarda che spaccatura» ha esclamato mio padre, «fa spavento!»

Era una voragine larga più di un metro, in certi punti due, che tagliava il Rossarco al di sopra del versante degli scavi. L'abbiamo costeggiata e io ho detto: «È incredibile: saranno duecento metri di lunghezza, sembra che un pezzo di collina si sia scollato a causa di un potente terremoto».

Mio padre è saltato dall'altra parte dello squarcio con un balzo da ragazzo. Ho avuto paura che vi cascasse dentro o rotolasse verso il mare come faceva per gioco con Ninabella.

«Sì, ma stavolta il terremoto non c'entra, c'entrano quel taglio laggiù che ha indebolito il Rossarco, l'assenza di una boscaglia dalle radici forti, i continui scavi, il terreno friabile, franoso. C'entra questo diluvio universale che non si ricorda a memoria d'uomo.»

Sono balzato anche io sull'altro lembo e ho subito avvertito una sorta di vertigine, come se fossi in bilico sul cornicione di un grattacielo. Mio padre se ne è accorto e ha detto: «Sei proprio un cacarellùso, aveva ragione Ninabella. Torniamo di là. Non vorrei che tu precipitassi qui dentro».

Durante il salto mi ha tenuto stretta la mano, come faceva quando da bambino ero in difficoltà. «Vieni» ha detto senza allentare la presa. «Devi sapere un'altra verità, prima che muoia.» E mi ha portato davanti al rosaio che cresceva sotto la chioma dell'ulivo gigante, nello stesso posto dove il mio bisnonno Alberto aveva seppellito il tesoretto di monete antiche. Infatti la pietra tonda con la kappa incisa sul piatto era ancora lì, ripulita e ravvivata dalla pioggia.

Mio padre si è levato la coppola e i suoi capelli folti sono stati scompigliati dal vento. L'ho guardato senza parlare, lui ha abbassato gli occhi sul rosaio e mi ha stretto la mano con forza: «Qua sotto riposa tua madre». L'ha detto con la voce ferma, appena mitigata da un sussulto di commozione, come se mi svelasse una verità di cui compiacersi. «È stata lei a volerlo, me lo ha chiesto con insistenza, con caparbietà.»

L'ho guardato fisso negli occhi: hai ragione, Simona, mio padre è pazzo e io uno sciocco che lo asseconda nelle sue follie.

«Non sono paccio, ho esaudito l'ultimo desiderio della donna che più ho amato nella mia vita. Lo avresti fatto pure tu, se te lo avesse chiesto.»

Avevo sperato che non fosse vero, che mio padre mi avesse mentito per saggiare la mia reazione o per giocarmi un lugubre scherzo. Non era così.

«Marisa non aveva paura della morte, l'ha affrontata a testa alta e ha sorriso, sicura che avrei mantenuto la promessa» ha detto mio padre. «Di me si fidava ciecamente, malgrado i nostri continui litigi.»

Lei non ne faceva mistero, neanche davanti a me: aborriva l'idea di finire dentro uno stretto loculo di cemento, sigillato da una lapide di marmo con una foto sorridente e la data di nascita e di morte. Invece amava il Rossarco dal primo momento che l'aveva accarezzato con lo sguardo: quale posto migliore per riposare tra le radici vive dell'ulivo gigante, sulle pietre antiche di una città misteriosa, nel profumo della vita eterna?

È stato più semplice del previsto, ha continuato mio padre. Dopo il funerale la bara di Marisa era stata lasciata per la notte nella chiesetta del camposanto, su un tavolo illuminato da candele elettriche. L'indomani sarebbe stata tumulata nel loculo numero 28.

Nel cuore della notte mio padre varcò il cancello del camposanto ed entrò nella chiesetta. Attorno alla bara volavano centinaia di falene, instancabili, pareva che danzassero attratte dalla luce. Non si spaventarono di lui, della sua ombra che avanzava nella chiesetta, apriva la bara, contemplava il viso sereno di Marisa, si asciugava due lacrime traditrici, le prime da quando l'aveva vista morta. Le falene continuavano a danzare, pietose. Lui baciò Marisa sulle labbra gelide, «ti amerò sempre» le disse, poi la prese tra le braccia, pesava sì e no quaranta chili, e l'appoggiò con delicatezza sul lenzuolo di lino che le aveva regalato Mammasofì per il matrimonio e che lei amava per la fresca morbidezza. L'avvolse per bene, lasciandole scoperto il viso come se potesse vedere che la stava accontentando. La sistemò con cura nella Panda 4x4 e partì, dopo aver richiuso la bara per bene, con dentro due blocchi di cemento.

Guidò prudente, calmo, per non dare nell'occhio, casomai avesse incontrato qualcuno. Era cosciente del rischio che correva. L'avessero scoperto, ha detto mio padre, non sarebbe qui a raccontarmi questa storia, l'avrebbero rinchiuso in galera o in un ospedale psichiatrico. Ma era notte fonda, la gente a quell'ora dormiva, incrociò solo una volpe sulla strada di campagna, mentre un corteo di farfalle pareva li accompagnasse dal cimitero.

La collina era illuminata dalla luna piena, non ci fu bisogno di accendere la torcia elettrica. Dal mare saliva una brezza umida che si appiccicava alla faccia rigandola come una miriade di lacrime salate. La fossa era già pronta da tre giorni, coperta da una rete per la raccolta delle olive.

Guardò Marisa per l'ultima volta, il suo viso era sereno, anzi, in quella luce fioca pareva addirittura radioso. Glielo coprì con il lenzuolo di lino, poi riempì la fossa con la terra nera del Rossarco, la migliore. Rimise sopra la rete e se ne tornò a casa, nel suo ıetto vuoto, con la coscienza a posto.

Ho abbracciato mio padre. Lui all'inizio era sorpreso, teneva le braccia rigide lungo il corpo, i pugni chiusi. Poi si è lasciato andare e mi ha stretto con tutte le sue forze. «Lo avresti fatto anche tu, vero?» ha chiesto, la voce rotta dal pianto.

«Sì, papà, l'avrei fatto anche io. La mamma è felice qui, con il mare di fronte e il profumo della collina.»

Ora mio padre singhiozzava più forte, era tornato bambino, abbracciava suo figlio e stringeva suo padre, che di sicuro lo avrebbe capito come lo capivo io.

Il ticchettio della pioggia sulle foglie dell'ulivo ci ha riportati alla realtà. Lui si è staccato da me e mi ha detto: «Ti conviene andare a Spillace con la mia macchina, prima che riprenda a diluviare. Così ti riposi per bene, sei pallido e stanco, ne hai bisogno. Ci vediamo domani mattina».

Gli ho ubbidito volentieri, ero così stanco che se fossi rimasto ancora un po' mi sarei addormentato crollando tra le sue braccia come facevo da piccolo.

Per restare sveglio, durante il breve viaggio verso il paese, ho cercato di immaginare cosa sarebbe successo l'indomani. Con tutta la mia buona volontà, non ci sono riuscito, vedevo solo nebbia alla fine di quel giorno grigio, un grigio umido e subdolo che prometteva altra pioggia.

Epilogo

Era la prima volta che arrivavo a Spillace in pieno inverno. Mi sono meravigliato che non piovesse. Le strade erano asciutte e vuote, le finestre sbarrate, i bar chiusi. Sembrava un paese di fantasmi.

Appena ho messo piede dentro casa, sono stato investito dalla puzza di chiuso, di umidità e di muffa. Si capiva che nessuno l'aveva arieggiata dall'estate. Ho poi acceso la luce della mia camera per la gioia delle falene che forse, senza il racconto di mio padre, non avrei notato.

Una manciata di occhi familiari si sono aperti allo stupore: i tre fratelli Arcuri, giovani fanti della Prima guerra mondiale; il nonno Arturo sperso nei suoi sogni mentre suona la chitarra battente; Mammalì e Mammasofì sorridenti e spettinate davanti alla casella, il mare in controluce, i fiori di sulla piegati dal vento; il viso cupo e surreale del bisnonno Alberto ritratto da Ninabella; i miei genitori che mi spingono l'altalena durante il Pascòne e sorridono, orgogliosi di me bambino, in volo sul loro amore; un primo piano di Simona che con la coda dell'occhio mi lancia uno sguardo innamorato, mentre legge un piccolo libro di Novalis sulla spiaggia di Punta Alice; il fascino di Ninabella avvolta nel suo perenne disincanto il giorno del matrimonio con David, che tanto assomigliava al fratello William e la teneva forte alla vita con un braccio, perché non scappasse via. Tutti, i vivi e i morti, seguivano curiosi i miei movimenti dalla parete dove li aveva appesi Mammalì l'estate della sua morte, perché non mi dimenticassi di loro. Ci fossero stati pure Paolo Orsi, Umberto Zanotti-Bianco e la rondine albina, li avrei avuti tutti davanti a me, i protagonisti di questa storia.

Ho fatto un piccolo slalom per evitare le ragnatele penzolanti dal soffitto e mi sono buttato vestito sul letto dell'infanzia. Prima di addormentarmi ho chiamato Simona per augurarle la buona notte assieme al nostro bambino. Lei ha capito, anche se non le avevo chiesto scusa esplicitamente. Ci siamo salutati con il calore ritrovato.

Quando è squillato il mio cellulare ho avuto un attimo di smarrimento, pensavo di essere nel letto di casa, accanto a Simona. Sul display illuminato è comparsa la scritta PAPÀ. Ho risposto con la voce impastata di saliva amara: «Sì, pronto...». E lui, senza perdere tempo in scuse e saluti, ha detto con il fiatone: «Vai a tirare fuori gli immigrati dal loro tugurio, altrimenti la frana li seppellisce vivi». Non capivo, ero ancora assonnato. «Io non posso scendere a piedi, nemmeno con la mia macchina potrei, la strada è un torrente di fango e acqua. La collina sta per franare, lo senti?» Sentivo solo il suo affanno disperato e lo scroscio della pioggia che martellava la casella e il vento che faceva tremare i vetri delle finestre.

«Vengo subito, ma tu mettiti al sicuro, ti prego.»

Mio padre ha interrotto la chiamata senza degnarmi di una risposta tranquillizzante.

Non ho perso altro tempo e sono uscito di casa. Fuori era buio, pioveva a dirotto; nel breve tragitto verso la macchina mi sono bagnato dalla testa ai piedi.

Ho attraversato il paese a grande velocità. Sulla strada di campagna, però, ho dovuto rallentare perché era inondata di acqua e rischiavo di volare in una timpa.

Passando davanti al Rossarco, ho suonato a lungo il clacson per segnalare a mio padre che stavo correndo dai suoi amici. Era un'illusione, la mia, che i tuoni e i boati avevano soffocato sul nascere.

Ho ripreso a suonare il clacson quando sono giunto sulla spianata, sotto il versante degli scavi. Ho fatto avanzare la macchina più che potevo nel letto di sterro limaccioso e sono sceso davanti alle casette fatiscenti del villaggio turistico abortito.

Le porte e le finestre erano teloni di plastica dura. Le ho aperte una dopo l'altra e ho gridato nel buio: «Uscite, uscite subito di qua, ché la frana vi cade sulla testa».

Ho visto sbucare di corsa quattro o cinque uomini che imprecavano in una lingua straniera.

«Presto, nella macchina» ho urlato. E sono salito con loro. «Ci siete tutti?»

«Sì, tutti tutti» ha risposto quello di fianco a me. Gli altri stavano stipati uno sull'altro nel sedile posteriore. Allora ho messo in moto la Panda 4x4 e ho pregato che avesse la forza di allontanarsi da quel mare di fango. Non avevo nessuna voglia di morire ora che stava nascendo il mio primo figlio. Abbiamo sentito un boato cupo, come un lamento che veniva dall'inferno. La collina non si muoveva. Ho lanciato la macchina a marcia indietro, ricordandomi grosso modo il tragitto dell'andata. Poi ho svoltato a destra e, dopo una breve rampa, mi sono immesso nella statale 106.

Eravamo salvi.

Ho puntato gli abbaglianti verso la collina: nessun cedimento.

«Cade nénte» ha detto uno degli uomini. «Io torna dintra dòrmere.»

«Aspetta. È pericoloso!» ho cercato di convincerlo.

«Finita pioggia. Scendiamo» è intervenuto un altro che in macchina si sentiva soffocare.

Siamo scesi tutti. Non pioveva più e alle loro spalle bagnate, sul mare, l'aria cominciava a schiarirsi.

Da quel momento ho potuto vedere la silhouette dell'ulivo gigante piantato sulla collina come un ombrellone sconvolto dal vento, mio padre minuscolo che si muoveva senza posa davanti alla voragine, e infine il versante degli scavi che scivolava lentamente verso il fondo.

Non era una scena drammatica, niente massi rotolanti e distruttivi, niente nuvoloni di polvere, alberi capovolti con le radici al cielo; persino il boato restava racchiuso in una dimensione di sogno a occhi aperti, quasi l'eco di un tuono lontano. E se non fosse stato per il coinvolgimento di mio padre che ora non vedevo più, avrei vissuto quei momenti senza eccessiva apprensione.

Poi però, più o meno a metà Piloru, la frana ha preso forza e velocità, si è gonfiata di terra smossa, è precipitata sulle casette seppellendole in pochi secondi, ha invaso come un'onda magmatica l'intero spiazzo destinato al villaggio turistico, lambendo un tratto della statale 106.

Gli immigrati mi hanno guardato impauriti. «Grazie, cumpà, grazie, cugì» mi hanno detto in coro. Solo allora avevano realizzato che erano vivi per miracolo.

Ho telefonato a mio padre. Il suo cellulare era muto, morto. Ho avuto un brutto presentimento e sono salito in macchina. Papà è stato inghiottito dalla voragine, ho pensato rabbrividendo. O si è fatto inghiottire. Ora è sepolto per sempre nella sua collina, accanto alla mamma. Forse era questa la fine che aveva desiderato. La fine che dovevo vedere con i miei occhi per poterla raccontare.

Mentre mi allontanavo da lì, ho incrociato alcune camionette di carabinieri, tre camion di vigili del fuoco e addirittura una macchina con il logo di una tv privata.

Il mio cellulare ha squillato quando ho avuto la 106 alle spalle. Pensavo che fosse Simona.

«Pronto, sono io» ha detto mio padre. Ero così felice di sentire la sua voce burbera che d'istinto ho accelerato. «Hai tirato fuori quei poveretti?»

«Sì, sono salvi per un pelo.»

«Meno male, meno male, non me lo sarei mai perdonato se fossero stati sepolti dalla nostra collina.» Poi ha cambiato umore e discorso: «Hai visto che avevano ragione il professor Orsi, Zanotti-Bianco, Marisa e, se permetti, pure io?». Non capivo. «I massi, li hai visti i massi squadrati, i resti di mura, le strade lastricate?»

Gli ho confessato che non avevo notato nulla, dalla macchina in corsa riuscivo a scorgere solo un mare increspato di color ruggine viva.

«Da quassù si vedono benissimo, vieni subito: è uno spettacolo straordinario.» Mio padre era euforico, irriconoscibile. «Credo che sia venuta alla luce Krimisa. O comunque una città antichissima. Anzi, sono sicuro che è Krimisa...»

Io stavo muto, concentrato a scansare i rami degli alberi sulla strada e le pozzanghere più viscide. E intanto cercavo e non trovavo le parole più semplici che avrei voluto dirgli, quelle di gratitudine per la storia che avevamo vissuto e che un giorno avrei raccontato a mio figlio. Promesso, pa'.

«Non dici niente? Non sei contento?»

«Sarò lì fra due minuti.»

Ho lanciato un'occhiata fugace nello specchietto retrovisore e ho rivisto il mio sguardo da ragazzo, quando tornavo a Spillace per le vacanze estive e lui mi veniva incontro a braccia aperte.

Ero felice, sì. Perché nel fulgore di quella mattinata finalmente limpida mio padre era ancora vivo e mi aspettava sulla nostra collina per un ultimo abbraccio, il più importante della mia vita.

Nota

Devo la ricostruzione del mondo contadino dal primo al secondo dopoguerra agli appassionati racconti di mio padre negli ultimi anni della sua vita.

Sugli scavi a Punta Alice, mi sono avvalso delle notizie riportate dallo stesso Paolo Orsi nel suo *Templum Apollinis Alaei ad Crimisa promontorium*, con disegni di Rosario Carta, uscito a Roma nel 1933 a cura della Società Magna Grecia e ripubblicato da Laruffa nel 2005. Inoltre, sull'archeologo trentino ho potuto consultare numerosi documenti editi e inediti in possesso della Biblioteca Civica Tartarotti di Rovereto, mentre al Museo Civico ho avuto modo di vedere e apprezzare la mostra su *Orsi, Halbherr, Gerola. L'archeologia italiana nel Mediterraneo* e le suggestive immagini del film documentario *Tracce di Paolo Orsi*, opera di Matteo Zadra e Massimo Valentinotti.

Il bel libro di Sergio Zoppi, *Umberto Zanotti-Bianco. Patriota, educatore, meridionalista: il suo progetto e il nostro tempo* (Rubbettino, 2009), mi è stato utile per delineare l'altro personaggio storico di questo romanzo; alcune citazioni autentiche di Zanotti-Bianco sono inserite in particolare nel capitolo 27 e in una breve frase, definita memorabile, alla pagina 195.

Sugli aspetti archeologici del libro, sono molto grato all'archeologo Francesco Antonio Cuteri per l'attenta e generosa lettura delle prime bozze, per i suggerimenti e per il giudizio pieno di stimoli.

Vorrei qui segnalare che una rarissima rondine albina è davvero comparsa al mio paese e ritrovata da zio Casimiro Marino. Ne è testimonianza l'articolo di Michele Abate su "Il Crotonese" del 3 luglio 2010, ora consultabile nel sito del mio amico Celeste Basta, www.celeste.it, con tanto di foto della rondine.

Un grazie di cuore anche a tutte le altre persone che hanno contribuito a questo romanzo attraverso le letture del manoscritto o con informazioni e apporti più specifici ma altrettanto preziosi: Gianna Pedrazzoli, Nicoletta Reboa, Marilena Rossi, Alvaro Torchio, Giuseppe Colangelo; poi il grande chitarrista battente Cataldo Perri, il maestro Francesco Pompò e la professoressa Gigliola Nocera per le notizie di prima mano su Paolo Orsi, con cui il padre Orazio Nocera aveva collaborato.

Infine un ringraziamento speciale va a mia moglie Meike, che ha seguito le varie stesure del libro con il suo sguardo lucido e profondo, a Giulia Ichino, Antonio Franchini e Stefano Tettamanti, i miei indispensabili interlocutori, che hanno creduto in questa storia fin dalla prima idea. Senza di loro *La collina del vento* non avrebbe mai visto la luce.

C.A.

INDICE

9 Promesse

33 Profumo

61 Somiglianze

89 Vento

119 Conferme

145 Sogno

173 Rosso

205 Scavi

241 Verità

253 Epilogo

259 *Nota*

I LIBRI DI

CARMINE ABATE

NEGLI OSCAR MONDADORI

GLI ANNI VELOCI

IL BALLO TONDO

LA FESTA DEL RITORNO

IL MOSAICO DEL TEMPO GRANDE

LA MOTO DI SCANDERBEG

IL MURO DEI MURI

LE STAGIONI DI HORA
(*Il ballo tondo - La moto di Scanderbeg
Il mosaico del tempo grande*)

TRA DUE MARI

VIVERE PER ADDIZIONE

Questo volume è stato stampato
presso ELCOGRAF S.p.A.
Stabilimento - Cles (TN)

Stampato in Italia - Printed in Italy